KU-458-847

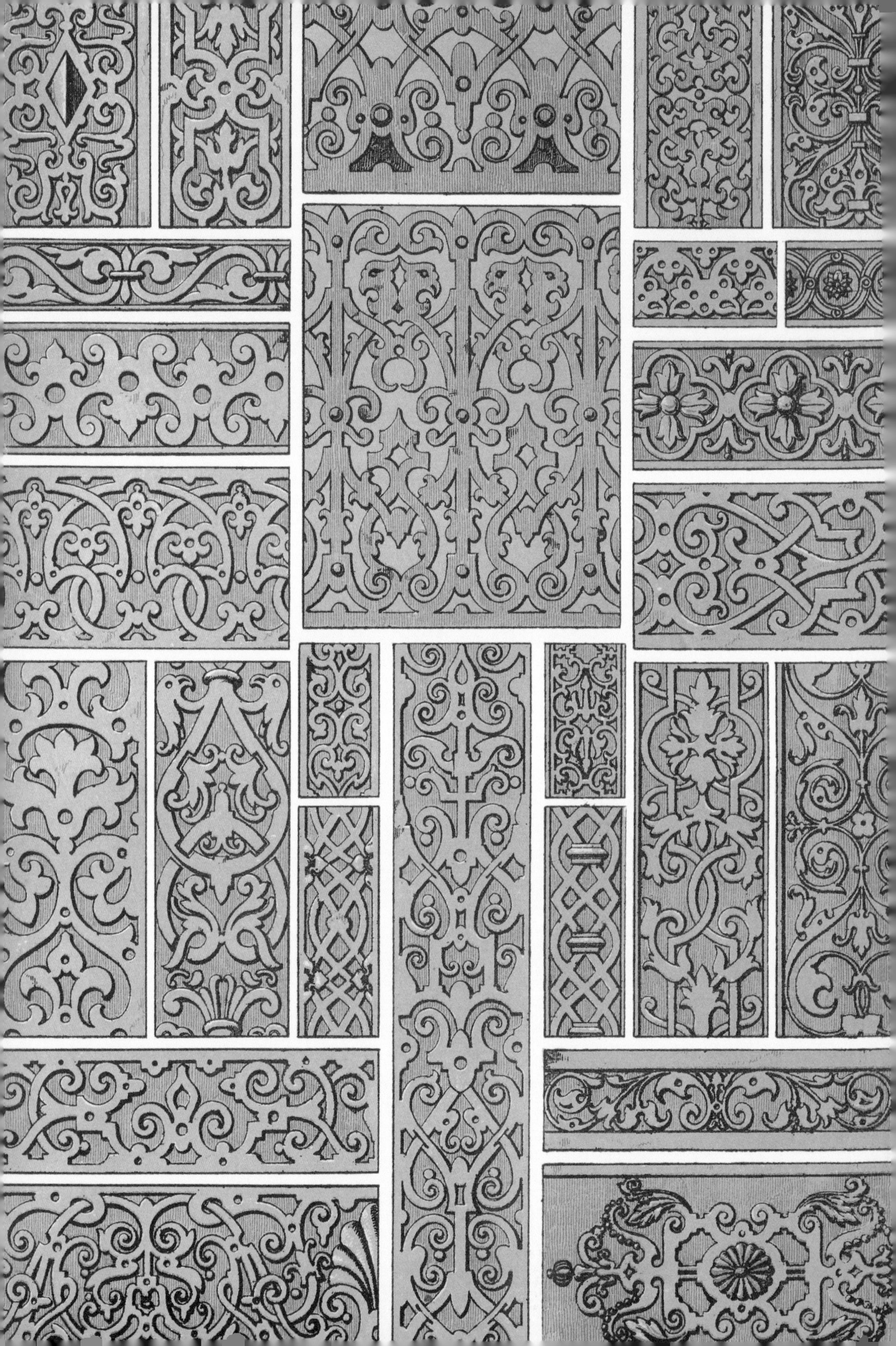

BASAR DER DÜFTE

Eine Reise durch die Welt der Gewürze

CAZ HILDEBRAND

Aus dem Englischen von Karin Weidlich

KNESEBECK

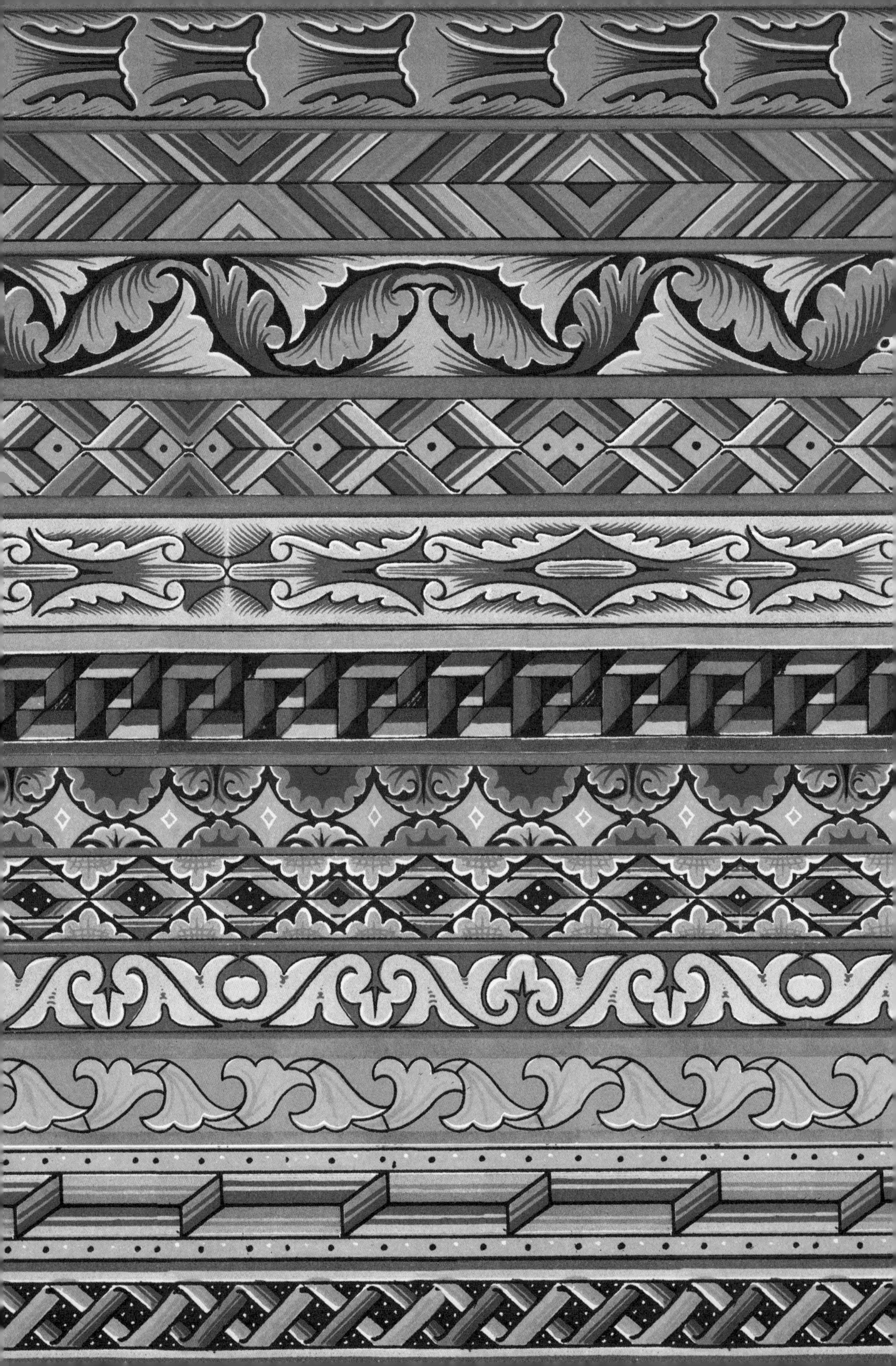

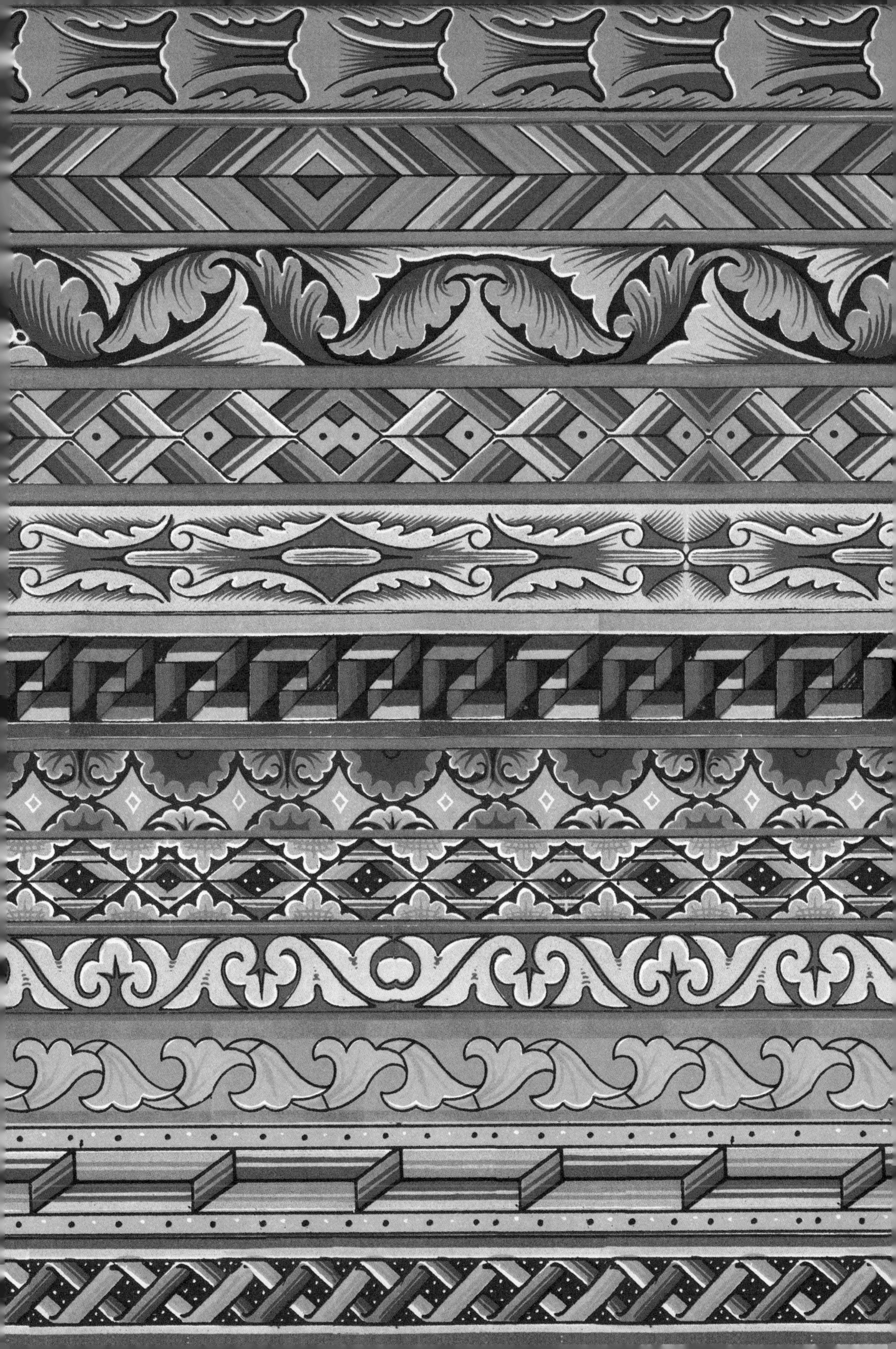

Inhalt

Einführung

Zum Glück gibt es viele Gewürze – und genau das ist der springende Punkt! Jedes Erforschen beginnt in unseren Küchenschränken, die randvoll sind mit einer Unmenge an Geschmacksrichtungen und Aromen.

WAS IST EIN Gewürz? Es ist den Gewürzen zuzuschreiben, dass die bedeutendsten Männer und Frauen aus so vielen unterschiedlichen Domänen – Kochen, Botanik, Anthropologie, Geschichte, Literatur – lange Zeit die heikle Definitionsaufgabe nicht meistern konnten. Was verbindet letztendlich duftendes Vanilleextrakt mit steinharter Muskatnuss? Ist Kakao wirklich ein Gewürz? Ist das Indische Lorbeerblatt nicht ein Kraut?

Eine Sache scheint zumindest relativ klar zu sein: Im Allgemeinen sind Gewürze keine Kräuter. Kräuter sind nämlich die (oft) grünen, krautig-aromatischen, (in der Regel) nicht getrockneten Blätter von Pflanzen, die in (meist) milden Klimazonen wachsen. Gewürze hingegen sind die (meist) getrockneten Pflanzenteile – die Rinde, die Wurzel, die Blütenknospe, Harz, Früchte oder Narben (z. B. Safrannarben) – von Pflanzen, die (weitestgehend) in tropischen Klimazonen gedeihen. Gewürze sind im Vergleich zu Kräutern teuer. Kräuter sind sozusagen »demokratisch«, Gewürze dagegen elitär; zwar machen sie uns ärmer, bereichern aber dafür unser Leben. Gewürze steigern das Aroma unserer Mahlzeiten und unsere Vorstellungskraft. Ein echtes Gewürz lässt sich durch nichts ersetzen.

Und was ist es genau, was unsere Zungen schmecken? Aus chemischer Sicht entsteht die Würze aus den enthaltenen Ölen und Oleoresinen, diesen flüchtigen Inhaltsstoffen, die dem Gewürz seinen spezifischen Geschmack und sein Aroma verleihen. Zwar spielen diese Öle keine wichtige Rolle im organischen Pflanzenwachstum, aber sie dienen sehr wohl der Abschreckung potenzieller Fressfeinde. Die Würze – das, was Gewürze für uns Menschen gerade so anziehend macht – ist in Wirklichkeit ein Verteidigungsmechanismus, eine Art Schutzpanzer. Die Würzstoffe sind nützlich für Pflanzen, weil sie ihnen beim Überleben helfen. Gewürze sind

nützlich für uns, weil sie unser Essen geschmacklich verstärken und damit unsere Ernährung kulinarisch beleben.

Die Geschichte der Gewürze geht einher mit Verführung, Mythologie, Blutvergießen, Romanze und Klischees. Gewürze wurden lange mit übernatürlichen Ursprüngen assoziiert und galten oft als Geschmack des Paradieses. Unser Wissen über Gewürze reicht bis 3500 vor Christus zurück: Die alten Ägypter verwendeten sie zum Würzen ihrer Speisen und zur Leichenkonservierung (Anis und Kreuzkümmel dienten beispielsweise zur Konservierung und sorgten für Wohlgeruch). Pfefferkörner aus Indien gelangten über den Handel schon 2000 vor Christus bis in den Mittleren Osten. Im 2. Jahrhundert vor Christus wurden von dort Gewürznelken nach China exportiert. Erst zwei Jahrhunderte später erreichten diese dann Alexandria. In der Bibel wird die Geschichte der Königin von Saba erzählt, die auf einem Kamelrücken von Äthiopien nach Jerusalem ritt, um König Salomon Gewürze zu überbringen. Die Geschichte der Gewürze wurde überwiegend von den Arabern geprägt. Über 5000 Jahre hinweg kontrollierten sie den Gewürzhandel und expandierten schließlich in den östlichen Mittelmeerraum und in das restliche Europa – und zwar über eine berühmte Gewürzroute über den Fluss Indus, durch Peschawar und über den Chaiber-Pass bis nach Afghanistan und westwärts quer durch den Iran bis in die Gegend südlich von Babylon.

Die Römer, Araber und Venezianer rangelten jahrhundertelang um ihre Ansprüche auf verschiedene Gewürzländer, aber es war natürlich Christoph Kolumbus, ein italienischer Welteroberer und Seefahrer, der 492 im Auftrag der Spanier versuchte, im Westen (also weniger mit Kurs auf Osten) Indien zu finden – *ad loca aromatum* – »zu Gefilden, wo die Gewürze sind«. Stattdessen stieß er unwissentlich auf Amerika und die Karibik und brachte Chilischoten, Schokolade, Mastix, Rhabarber und Piment nach Europa.

Der Titel dieses Buches – ja die ganze Idee dahinter – wurde von einer anderen Forschungsreise in fremde Länder inspiriert, einhergehend mit der *Grammatik der Ornamente* von Owen Jones (1809–1874), einem gebürtigen Londoner walisischer Abstammung. Jones war ein Architekt und Designer, der auf der Suche nach einem neuen Stil- und Designkonzept zu einem einflussreichen Theoretiker des 19. Jahrhunderts wurde. Er schöpfte seine Ideen aus der islamischen Welt und schürfte nach den zugrundeliegenden Prinzipien flacher Muster im Zusammenspiel mit Farbe, Geometrie

The
Grammar of
Ornament

und Abstraktion. Er unternahm eine ausgedehnte Reise nach Italien, Griechenland, Ägypten und über die Türkei bis nach Spanien, wo er die außergewöhnliche islamische Ornamentik der Alhambra sorgfältig studierte. Indem er die gängigen Grundlagen für das historische Ornament ermittelte, stellte Jones fest, dass er eine Bildsprache – oder genauer gesagt eine Grammatik – formuliert hatte, die auf alles angewandt werden konnte: von Tapeten und Textilien bis zu Möbeln, Metallarbeiten und Interieurs.

Die *Grammatik der Ornamente* erschien 1856 unter Anwendung eines neuen Druckverfahrens, der Farblithografie. Das Buch enthält einhundert wunderschöne, exquisite Farbabbildungen von Mustern und anderen Zierelementen der dekorativen Kunst wie z. B. Wandmalereien, Fliesen und Textilien. Zum ersten Mal wurde hiermit eine solch breit gefächerte Ornamentik aus verschiedenen Ländern und geschichtlichen Epochen in einem einzigen Werk in Farbe präsentiert. Im Vorwort wurden die 37 »allgemeinen Prinzipien für die Anordnung von Form und Farbe in der Achitektur und in der dekorativen Kunst« beschrieben. Jones' Arbeit hatte einen großen Einfluss auf zahlreiche Künstler, Designer und Architekten im In- und Ausland, u.a. auf William Morris, Frank Lloyd Wright und Le Corbusier und im weitesten Sinne auf die Arts-and-Crafts-Bewegung, die den Jugendstil und dessen kunstvolle Ästhetik hervorbrachte.

Die Verbindung von Gewürzen zur Designtheorie des 19. Jahrhunderts ist nicht so abwegig, wie es klingen mag. »Form ohne Farbe ist wie ein Körper ohne Seele«, schrieb Jones. Dasselbe könnte über Nahrung ohne Gewürze und deren komplexe Vielfalt an Aromen und Geschmacksrichtungen behauptet werden. Die erste der 37 Jones-Thesen besagt, dass »dekorative Kunst aus der Architektur hervorgeht und sie stilgerecht begleiten sollte«. Die beste Kochstrategie ist die, wo vielerlei Gewürze eine große Bandbreite an Zutaten liefern, die zusammenwirken anstatt miteinander zu konkurrieren; das wiederum hebt den Eigengeschmack eines Gewürzes, ähnlich wie das dekorative Kunst in guter Architektur tut. Letztendlich behauptet Jones, dass Design in der natürlichen Welt ein entscheidendes Universalprinzip und Prüfstein sei; Gewürze sind selbstverständlich ein wesentlicher Bestandteil der natürlichen Welt, und ich kann mir nur denken, dass Owen Jones die natürlichen Muster, Linien und Farben in Gewürzen wie Sternanis, Süßholz und Safran gutgeheißen hätte.

Anmerkungen zum Design

Jedes Gewürz in diesem Werk wird durch visuelle Wiedergaben von Oberflächendekor aus Owen Jones' Standardwerk *Grammatik der Ornamente* begleitet. Die von mir ausgewählten Muster beziehen sich größtenteils auf die Ursprünge des kommentierten Gewürzes: So sehen wir beispielsweise zu dem in Indien beheimateten Pfefferkorn auf der gegenüberliegenden Seite das für Indien typische Design inklusive Farbe, Muster und Formen. Hier ist es jedoch wichtig zu erwähnen, dass Jones Amerika und Australien, woher viele unserer Gewürze kommen, nicht kannte. So musste ich hier meine Gegenüberstellung von Ornamentik und Gewürzen freier gestalten, d. h. Gestaltungsmuster auswählen, die das Gewürz oder die dekorative Kunst des Herkunftsorts gewissermaßen emotional vermitteln. Obwohl Jones von diesem subjektiven, unsystematischen Ansatz wohl schockiert gewesen wäre, kann ich dadurch viel mehr seiner Bilder zeigen.

Vielleicht lohnt es sich an dieser Stelle auch, darüber nachzudenken, dass heute die meisten Gewürze weltweit angebaut werden können. Somit darf ich mich, wie ich hoffe, etwas stärker zu meiner Freude an Spielereien bekennen. Bei einigen Gewürzen habe ich mir die Freiheit genommen, aus Jones' ursprünglichen Elementen neue Muster zu kreieren, nämlich durch Kombinationen oder durch das Erfinden längerer Wiederholungssequenzen mit Fragmenten aus seinen Abbildungen. Im Großen und Ganzen sind meine Bemühungen einfach nur Anreize, die Jones-Ornamentik an sich zu erforschen und mich daran zu erfreuen. Ich habe versucht, meine ganz subjektiven Muster-Gewürz-Paarungen in der Randleiste jeder Präsentation inklusive Angabe der Bildnummern aus *Grammatik der Ornamente* zu erläutern. So bleibt dem Betrachter das endgültige Urteil überlassen, ob sie miteinander in Verbindung stehen.

Die Gewürze

Acacia species

Akaziensamen

Das raschelnde Blätterwerk deiner Bäume
biegt sich unter jeder duftenden Brise;
jedes goldene Blütenbüschel ist heiter,
jede Kontur zart aufgesprühter Akazienschaum.

»Wattle Blossom« (Akazienblüte), Joan Torrance (1911)

PASST ZU
Kaffee, Nüssen, Schokolade, Vanille, Rind, Hähnchen, Lamm, Fisch, Süßkartoffeln, Tomaten, Pilzen, Eiern, Reis

PROBIEREN
1 EL gemahlene Akaziensamen unter die Baisermasse für eine Pavlova (Desserttorte) heben. Eine dünne Schicht dunkle, flüssige Schokolade auf der gebackenen Pavlova verteilen und fest werden lassen. Dann das Dessert mit Schlagsahne und frischem Obst garnieren.

HERKUNFT
Australien

ABBILDUNG IX
Ägyptisch Nr. 6
Trotz ihrer Provenienz erinnern diese Muster an Australiens Aborigines-Kunst.

Die blühenden Akazienbäume und -sträucher zählen zur Mimosenfamilie; speziell die Gold-Akazie wurde zur Nationalpflanze gekürt und ziert das Staatswappen von Australien. Nur 120 der 900 Akazienarten sind genießbar (der Rest ist ziemlich giftig). Die beliebtesten Unterarten sind die *Acacia victoriae* und *Acacia aneura*, bekannt unter dem Sammelbegriff Akazien. Akaziensamen werden seit über 6000 Jahren von Ureinwohnern geerntet. Die unreifen, grünen Akaziensamen werden mit Wasserdampf aus ihren Schoten gelöst, ehe sie getrocknet, geröstet und gemahlen werden. Das daraus gewonnene espressoähnliche Pulver riecht nach Kaffee, Haselnuss, Rosine und Schokolade und kann in Espressomaschinen zu Akazienflüssigkeit gebraut werden, die für alle möglichen Getränke und Gerichte verwendet wird – von Säften und Smoothies bis hin zu Schmortöpfen, Pilaws und Pavlova (eine Desserttorte aus Baiser mit Nationalgerichtcharakter).

Gemahlene Akaziensamen sind eine mögliche Zutat für verschiedene Brote, Kekse, Scones und sahnige bzw. schokoladige Desserts. Auch werden sie nach wie vor für traditionell über Holzkohlefeuer gebackenes Sodabrot verwendet. In der Down-Under-Gastronomie, wo sich ein neues Interesse an Buschnahrung durchgesetzt hat, erfreuen sie sich wachsender Beliebtheit. Känguru-steaks mit Akaziensamenkruste und Rotwein-Schokolade-Sauce würden auf einer australischen Speisekarte keineswegs seltsam anmuten. Zudem lassen sich gemahlene Akaziensamen gut in trockenen Rubs für Rind, Lamm und Geflügel verwenden und sind ein herrlicher Begleiter für Pilze.

Acorus calamus

Kalmus

Wachst höher, süße Blätter, die ich zu erblicken vermag!
Wachst aus meiner Brust heraus!
Entspringt meinem darin verborgenen Herzen!
Kauert nicht in euren rosa Knollen, ihr zaghaften Blätter!

»Kalmus«, Walt Whitman (1860) in der dritten Ausgabe seiner Anthologie Leaves of Grass (Grasblätter)

PASST ZU
Man folge den Empfehlungen für Muskatnuss (Seite 120) und Ingwer (Seite 186).

PROBIEREN
Kalmus lässt sich jederzeit gut als Ersatz für Muskatnuss oder Ingwer verwenden: über Milchreis gerieben, vor dem Backen mit Rhabarber oder Pflaumen vermengt, oder auch in Currys.

HERKUNFT
Indien

ABBILDUNG LV
Indisch Nr. 7
Wie Whitmans aufrecht stehende Duftkräuter.

Walt Whitman hat dem Kalmus einen ganzen Episodentitel gewidmet. Die großen, aromatischen Blätter evozieren Sinnlichkeit, Kameradschaft und Zuneigung. Whitman war sich des griechischen Mythos bewusst, in dem Kalamos Zeus bat, sterben zu dürfen. Zuvor war sein Geliebter, der Jüngling Karpos, bei einem Wettschwimmen der beiden ertrunken. Kalamos (griechisch für »Schilfrohr«) wurde daraufhin in eine würzig-süße Kalmuspflanze verwandelt. Als wehklagend raschelndes Schilf trauert er seither um seinen Geliebten.

Der in den gebirgigen Sumpfgebieten Indiens beheimatete Kalmus hat schwertähnliche Blätter, die eine Wuchshöhe von 1,5 Metern erreichen können. Die Schilfpflanze entwickelt winzige, gelbe Lampenputzerblüten. Diese duften süßlich-aromatisch und wurden jahrhundertelang zur Parfümherstellung verwendet. Der runzelige, grau-braune Wurzelstock kann in Scheiben geschnitten, getrocknet, gemahlen und sogar karamellisiert werden. Geschmacklich hat Kalmus Anklänge von Zimt (Seite 68), Muskatnuss (Seite 120) und Ingwer (Seite 186) mit einem Hauch Bitterkeit. Die Blätter können als Kräutergewürz verwendet werden.

Aromatischer Kalmus war einst in Großbritannien und Nordamerika als Süßungsmittel beliebt und wird nach wie vor zum Würzen von Milch für Puddings, Flans und Dessertcremes verwendet. Die gemahlene Kalmuswurzel wird in Indien zum Einkochen von Früchten verwendet. Kalmus ist eine der Kräuterpflanzen, die für Gin-Aroma und für viele Liköre, Biere, Würzbitter und Tonics verwendet werden wie etwa für den namhaften Stockton Bitter und für Absinth. In Litauen wird Schwarzbrot mit Kalmus gebacken.

Aframomum corrorima

Äthiopischer Kardamom

In den wilden Kaffeewäldern von Kaffa in Äthiopien, in Tansania, im Südwesten Sudans und im Westen Ugandas beheimatet, wird dieses Gewürz häufig in der äthiopischen und eritreischen Küche verwendet.

PASST ZU
Reis, Linsen, Fleisch, Blumenkohl, Möhren, Kreuzkümmel, Limetten, Feigen, Süßkartoffeln, Ingwer, Zimt

PROBIEREN
Niter Kibbeh: 500 g Butter bei mittlerer Hitze in einen Topf geben und 5 zerdrückte Knoblauchzehen, 1 kleine gehackte Zwiebel, 1 TL Äthiopische Kardamomsamen, 1 EL geriebenen Ingwer, ½ EL Kurkuma und reichlich schwarzen Pfeffer darin erhitzen. 30 Minuten köcheln lassen, bis die Butter geklärt ist. In einem Kaffeefilter abtropfen und abkühlen lassen.

HERKUNFT
Äthiopien, Tansania, Sudan, Uganda

ABBILDUNG I
Wilde Stämme Nr. 1
Warme Farben und Wiederholungsmotiv für die afrikanische Provenienz.

Äthiopischer Kardamom, auch als Korarima oder Falscher Kardamom bekannt, gehört zur Familie der Ingwergewächse (*Zingiberaceae*). Das Gewürz ist feurig im Geschmack und blumig im Aroma. Im mild-scharfen Nachgeschmack liegt eine leicht bittere Note. Die großen braunen Schoten werden über offener Flamme gedörrt, was ihnen ein leichtes Raucharoma verleiht.

Das Gewürz wird in Mischungen wie Berbere (Seite 194), chilischarfem *Mitmita* und *Awaze* (Würzpaste aus Berbere, Mitmita, Ingwer, Zitrone und Knoblauch) verwendet sowie in Suppen, Eintöpfen und Kaffee. Äthiopischer Kardamom ist das Basisgewürz für das hochgeschätzte Traditionsgericht *Kitfo* (chilischarfes, rohes Hackfleisch) sowie *Fasolia* (Eintopf mit Bohnen und Möhren). Äthiopischer Kardamom eignet sich ebenso gut wie grüner Kardamom für herzhafte und süße Gerichte wie *Destaya* (dünne Teigtaschen, mit roten und weißen Rosinen, Pistazien, Mandeln und Kokosraspeln gefüllt). Meist wird das Gewürz für *Niter Kibbeh* verwendet, ein scharfwürziges, Ghee-ähnliches Butterschmalz, das in vielen äthiopischen Gerichten seinen Platz hat. Auch eignet es sich bestens für Eier, Linsen, grünes Blattgemüse, Fladenbrot und Saucen.

Aframomum danielli

Alligatorpfeffer

Das westafrikanische Gewürz, auch als Mbongo bekannt, ist eng verwandt mit Paradieskörnern.

PASST ZU
Lamm, Hähnchen, Fisch, Reis, Kürbis, Okraschoten, Auberginen, Kartoffeln, Tomaten, Erdbeeren, Mangos, Äpfeln

PROBIEREN
Geröstetes Gemüse oder gegrillten Fisch mit grob gemahlenem Alligatorpfeffer bestreuen.

HERKUNFT
Westafrika

ABBILDUNG I
Wilde Stämme Nr. 1
Sowohl westafrikanische Motive als auch Alligatoren scheinen in diesem Muster vertreten zu sein, das wir aus Owen Jones' Abbildungen der Tongatapu-Matten (Tonga-Inseln) übernommen haben.

SCHARFWÜRZIGER ALLIGATORPFEFFER – so genannt, weil die hauchdünne Samenhaut an die einschichtige Epidermis eines Alligatorrückens erinnert – wird in ganzen Schoten verkauft. Er kommt von einer Ingwerstaude (Atzoh-Pflanze) und stammt ursprünglich aus den Sumpfgebieten entlang der westafrikanischen Küste. Er ist eine klassische Zutat in der westafrikanischen Küche, die Suppen, Reisgerichten, Eintöpfen und dem berühmten afrikanischen Paprikaeintopf aromatische Würze verleiht. *Mbongo Tchobi*, auch einfach als *Bongo* bekannt, ist eine erdige, schwarze Sauce auf Tomatenbasis, die zu Seewolf serviert wird.

Mbongo wird oft zu Kolanuss serviert – die koffeinhaltige Frucht des namengebenden Kolabaums. Das Gewürz kann durch Paradieskörner (Seite 26) oder schwarzen Kardamom (Seite 32) ersetzt werden. Alligatorpfeffer und Paradieskörner sind botanisch miteinander verwandt; von ersterem aber werden sowohl die Schoten als auch die Samen verwendet.

In der Yoruba-Kultur werden Neugeborene gleich nach der Geburt mit dem Geschmack von Alligatorpfeffer vertraut gemacht. Weil er teuer ist – folglich wertvoll und feierlich –, wird er auch als Hochzeitsgeschenk überreicht.

Aframomum melegueta

Paradieskörner

Entdeckt von westafrikanischen Stämmen, die wildbeuterisch und auch von Ackerbau lebten, und von portugiesischen Gewürzhändlern nach Europa gebracht, geben Paradieskörner Gerichten einen scharfen ingwerartigen Kick.

PASST ZU
Kartoffeln, Fisch, Hähnchen, Reis, Kürbis, Süßkartoffeln, Wurzelgemüse, Äpfeln, Orangen, Hülsenfrüchten

PROBIEREN
Lamm oder Steak vor dem Braten mit grob gemahlenen Paradieskörnern einreiben; für die Würzkruste von gegrilltem Lachs oder Thunfisch verwenden; für Lebkuchen, Apfelkuchen und Desserts mit pfefferscharfer Note.

HERKUNFT
Westafrika

ABBILDUNG I
Wilde Stämme Nr. 1
Könnte dies etwa ein Kräutergarten-Leitfaden für ein pfeffriges Paradies sein?

Der büschelige Stamm der schilfrohrartigen Malagettapflanze erreicht eine Wuchshöhe von bis zu 1,5 Metern. Ihre feigenförmigen Fruchtkapseln (bis zu acht Zentimeter lang) enthalten an die 300 rötlich-braune Samen. Das Gewürz hat fast ein Waldduftaroma und eine krautige Zitrusnote; auch schweben Anklänge von Zimt, Gewürznelken und grünem Kardamom mit.

Der Gewürzname mag wohl eine Markenstrategie des 13. Jahrhunderts sein, erfunden von portugiesischen Gewürzhändlern, die für ihre Körner mehr Gold wollten, daher *sementes-do-paraíso* (Paradiessamen) und *grãos-do-paraíso* (Paradieskörner). Eher wertmindernd ist die lokale Bezeichnung »Malagettapfeffer«, abgeleitet von *malagua* – so heißt der vergleichbar scharfe Stachel der Schirmquallen, die sich vor der Küste Afrikas im Meer tummeln. Lange vor den Portugiesen handelten Berber, Araber und jüdische Kaufleute mit Malagettapfeffer. Sie bezogen das Gewürz von der Pfefferküste (dem heutigen Liberien), nachdem es mit Tuareg-Kamelkarawanen durch den Sahel und die Sahara eine weite Reise zurückgelegt hatte.

Da es sowohl aufwärmend als auch erfrischend wirkt, ist dieses Gewürz sehr vielseitig verwendbar. In Europa ist es nicht sonderlich verbreitet und kann in den meisten Rezepten durch schwarze Pfefferkörner ersetzt werden. Es ist Bestandteil der marokkanischen Gewürzmischung Ras el-Hanout (Seite 207) und des tunesischen *Qălat daqqa*. Auch wird oft Glühwein damit gewürzt. Im Handbuch für verlobte Frauen, *Le Ménagier de Paris* (1393), stand tatsächlich die Empfehlung, schalen Wein mit dem Aroma von Paradieskörnern aufzupeppen. Queen Elizabeth I. soll Bier mit dem Duft von Paradieskörnern bevorzugt haben.

Alpinia species

Galgant

Ein Koch, der für diesen Anlass dabei war,
um Hühnersuppe mit Markknochen,
Poudre-Marchant und Galgant zu kochen.

Canterbury Tales (Geschichten aus Canterbury),
Geoffrey Chaucer (1386)

PASST ZU
Chilischoten, Kokosmilch, Fenchel, Pilzen, Fisch, Meeresfrüchten, Rind, Hähnchen, Knoblauch, Ingwer, Zitronengras, Zitronen, Limetten, Tamarinden, Koriander, Sternanis, Reis, Nudeln

PROBIEREN
In der Küchenmaschine folgende Zutaten zu einer schnellen Thai-Currypaste verrühren: je 2 EL fein gehackten Galgant, Schalotten und Knoblauch, je 4 EL gehackte Korianderstängel und Zitronengras, 10 gehackte grüne Peperoni, 4 TL geröstete und gemahlene Koriandersamen, 2 TL geröstete und gemahlene Kreuzkümmelsamen, 1 EL Limettenabrieb, 1 TL Garnelenpaste, Salz und Pfeffer.

HERKUNFT
Java und Südchina

ABBILDUNG XL
Chinesisch Nr. 2
Formen wie Galgantwurzeln, die unter der Erde waagerecht kriechen.

Den alten Indern seit jeher bekannt und in Europa seit dem Mittelalter erhältlich, stammt der Große Galgant (*Alpinia galanga*) ursprünglich aus Java, während der beißendere Echte Galgant (*Alpinia officinarum*) in den Küstenregionen von Südchina heimisch ist. Die gängigen Namen verweisen auf ihre eindeutig unterschiedliche Größe. Ersterer ist eine große, knorrige Knolle, die eher wie Topinambur aussieht, mit langen, breiten, schwertähnlichen Blättern, kleinen roten Früchten und orange-braunen Wurzelstöcken mit kakaobraunen, verkümmerten Blattansätzen, die sich in Abständen ringartig um die Knolle legen. Der Echte Galgant ist kleiner, dünner und nur halb so groß, und die ganze Pflanze ähnelt einer Iris. Beide Galgantarten werden überall in Indien, Südostasien und Indonesien angebaut.

Aus dem arabischen Namen *khalanjan* scheint Galgant als gängiger Name hervorgegangen zu sein. In Thailand ist er als *kha* bekannt, in Malaysia als *lengkuas* und in Indonesien als *laos*. Frischer Galgant sieht Ingwer sehr ähnlich und gehört zur selben *Zingiberaceae*-Familie. Er ist auch getrocknet, geschnitten oder als gehaltvolles, sandig-braunes Pulver erhältlich. Der frische Wurzelstock muss geschält und in Stücke geschnitten werden, denn die Knolle ist innen faserig, bräunlich-gelb und sogar zäher als Ingwer. Während viel frischer Ingwer das Aroma eines Gerichts verstärken kann, sollte Galgant sparsamer verwendet werden, denn er ist pfeffriger und trockener im Biss, was ihn – begleitet von einem Hauch Eukalyptus – umso schärfer macht. Frischer Galgant wird für Suppen und Eintöpfe, Sambal- und Sataysaucen verwendet und eignet sich gut für Hähnchenfleisch in scharf-sauren Suppen. Galgantpulver ist manchmal auch in Ras el-Hanout (Seite 207) enthalten. Getrockneter

Galgant sollte vor Verwendung in lauwarmem Wasser eingeweicht werden. Dann gibt man ihn in Stücken in Suppen und Eintöpfe und nimmt sie vor dem Servieren wieder heraus.

Im mittelalterlichen Europa wurde Brathähnchen mit Galantine, einer Sülze aus Brotkrumen, Ingwer, Galgant, Zucker, Rotwein

und Essig serviert – so auch von Chaucers Koch. »Galgant wärmt die Lendengegend«, behauptete der englische Kräuterkundler John Gerard. Mit anderen Worten – Galgant galt als Aphrodisiakum. In der traditionellen Heilkunde wurde Galgant auch bei Übelkeit, Blähungen, Verdauungsbeschwerden und Rheuma empfohlen.

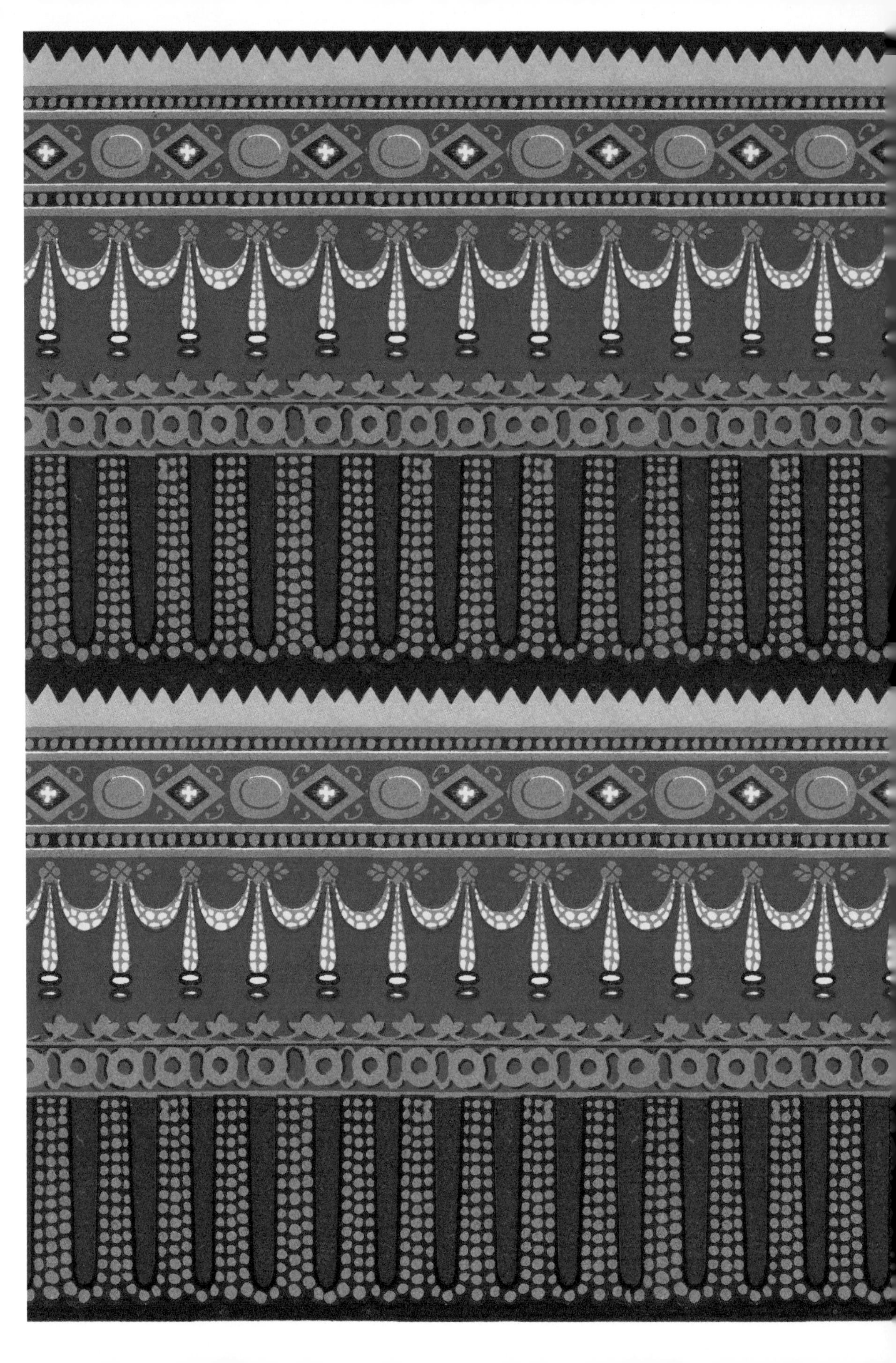

Amomum subulatum

Schwarzer Kardamom

Schwarzer Kardamom – nicht zu verwechseln mit grünem Kardamom – ist viel größer und behaarter als dieser. Auch hat das Gewürz einen ausgeprägteren Kampfergeschmack mit starker Rauchnote.

PASST ZU
Reis, Linsen, Fleisch, Kokosnuss, Erbsen, Blumenkohl, Möhren, Kartoffeln, Gewürznelken, Zimt, Peperoni, Kreuzkümmel, Limetten, Feigen, Ingwer, dunkler Schokolade

PROBIEREN
Für einen einfachen, duftenden Pilaw-Reis 1 fein gehackte Zwiebel, 1 Zimtstange und 5–6 schwarze Kardamomkapseln in Butter anschwitzen. Unter Basmatireis heben und nach der Packungsanleitung fertig garen.

HERKUNFT
Vom östlichen Himalaja bis Zentralchina.

ABBILDUNG LVII
Hindu Nr. 2
Ein Wurzelwerk, das unter und über der Erde wächst: Die Kombination dieser Muster scheint die Komplexität des Gewürzes zu evozieren.

AUCH ALS NEPAL-KARDAMOM oder brauner Kardamom bekannt, ist schwarzer Kardamom ein erwärmendes Gewürz und ein wichtiger Bestandteil von Garam Masala (Seite 200). Als Unterart der Ingwergewächse riechen die Samen intensiv nach harzig-erdigem Kampfer und nehmen beim Dörren über offenem Feuer einen rauchigen Geschmack an. Darunter liegt ein Hauch grüner Kardamom (Seite 94), der unverkennbar an Menthol erinnert und dem schwarzen Kardamom im Nachgeschmack eine erfreuliche Komplexität verleiht.

Die schilfähnliche Staude ist in Feuchtwaldgebieten von Nepal bis Zentralchina heimisch. Die breiten immergrünen Triebe können bis zu einem Meter hochschießen. Durch die Blattform kam es zu dem botanischen Gewürznamen *subulatum*, was so viel wie »ahlenförmig« bedeutet. Die schönen elfenbeinfarbenen Blütenstände befinden sich nah am Boden. Daraus bilden sich später die Samenkapseln, die aus drei Doppelreihen mit jeweils etwa sechs Schoten bestehen.

In China wird schwarzer Kardamom für *Jin-Jin* (geschmorte Fleischgerichte) verwendet; in Vietnam nennt sich der Kardamom *thao qua* und dient als Gewürz für die klassische *Pho* (Nudelsuppe). Für langsames Garen sollte man stets ganze schwarze Kardamomkapseln verwenden, damit die darin enthaltenen fett- und wasserlöslichen Öle freigesetzt werden können. Diese eignen sich auch gut für langsames Garen von bitterem Blattgemüse und als Aromaverstärker in einfachen Linsen- und Reisgerichten. Sind sie einmal aus den Hülsen gelöst und gemahlen, verflüchtigt sich das Aroma der pechschwarzen Samen allmählich; deshalb sollten sie am besten sofort verarbeitet werden. Oft sind sie insbesondere in Rubs für Rindfleisch enthalten. Gewöhnlich werden auch nordindische Currys mit schwarzem Kardamom angereichert.

Anethum graveolens

Dillsamen

Dieses äußerst vielseitige Gewürz hieß einst »Versammlungshaus-Samen«, denn Dill wurde gekaut, um bei langen Gottesdiensten aufmerksam zu bleiben.

PASST ZU
Gurken, Möhren, Auberginen, Roten Beten, Kartoffeln, grünen Bohnen, Linsen, Kohl, Joghurt, Käse, Fisch, Meeresfrüchten, Lamm, Hähnchen

PROBIEREN
Dillsamen vor dem Backen über Brot streuen; zerkleinerte Dillsamen mit zerlassener Butter vermengen und zum Anrichten von Kartoffeln oder Möhren verwenden.

HERKUNFT
Westasien, Südrussland, östlicher Mittelmeerraum

ABBILDUNG XXII
Griechisch Nr. 8
Diese griechischen Muster spielen auf die höchst unterschiedliche Verwendung von Dillsamen im östlichen Mittelmeerraum und in Nordeuropa an sowie auf verschiedene Verwendungsmöglichkeiten in den jeweiligen Landesküchen.

DIESE AROMATISCH DUFTENDE Pflanze ist Kraut und Gewürz zugleich; Blätter und Samen haben den gleichen Anisgeschmack. Die flachen, rundlichen Samen mit geriffelter Oberfläche sind federleicht, riechen nach Kümmel und verleihen Gerichten eine angenehme Wärme. Gibt man die Samen gleich zu Beginn des Kochvorgangs dazu, wird der Geschmack vollmundiger und weicher; eine Beigabe kurz vor dem Servieren steigert die Schärfe. Eine Unterart, der indische Dill (*Anethum graveolens var. sowa),* wird speziell seiner Samen wegen angebaut. Da er schärfer ist, wird er in Currys und indischen Gewürzmischungen verwendet. Dill gehört zur Familie der Doldenblütlergewächse; deshalb ist er auch zusammen mit Kümmel (Seite 60), Anis (Seite 132), Kerbel, Koriander und Petersilie verwendbar. Zudem unterstreicht er das Aroma der meisten Wurzelgemüse. Er passt perfekt zu Möhren und harmoniert auch gut mit Kartoffeln, grünen Bohnen und Joghurt. In der indischen Küche wird er rotem Linsen-Dal namens *Tarka* beigegeben bzw. mit anderen Gewürzen wie etwa Kreuzkümmel (Seite 84), Bockshornklee (Seite 174) und Curryblättern (Seite 116) geschmort. In Georgien ist Dill neben Koriander (Seite 76), Färberdistel (Seite 58) und Selleriesamen (Seite 36) in Chmeli Suneli (»getrocknete Gewürze«; Seite 204) enthalten.

Dieser erwärmende, würzige Dill verlangt naturgemäß nach Säure: Er harmoniert gut mit Zitrone und Essig und auch mit eingelegtem Fisch wie Hering – eine charakteristische Kombination in den Landesküchen Osteuropas und Südrusslands. Besonders sticht Dill in der Kochkunst der aschkenasischen Juden hervor, wo er oft zum Würzen von Hühnersuppe und koscheren Gewürzgurken dient. Er ist ideal für essigsaures Gemüse und kann in fetthaltiges Faschiertes, gebratene Auberginen und Veloutés integriert werden.

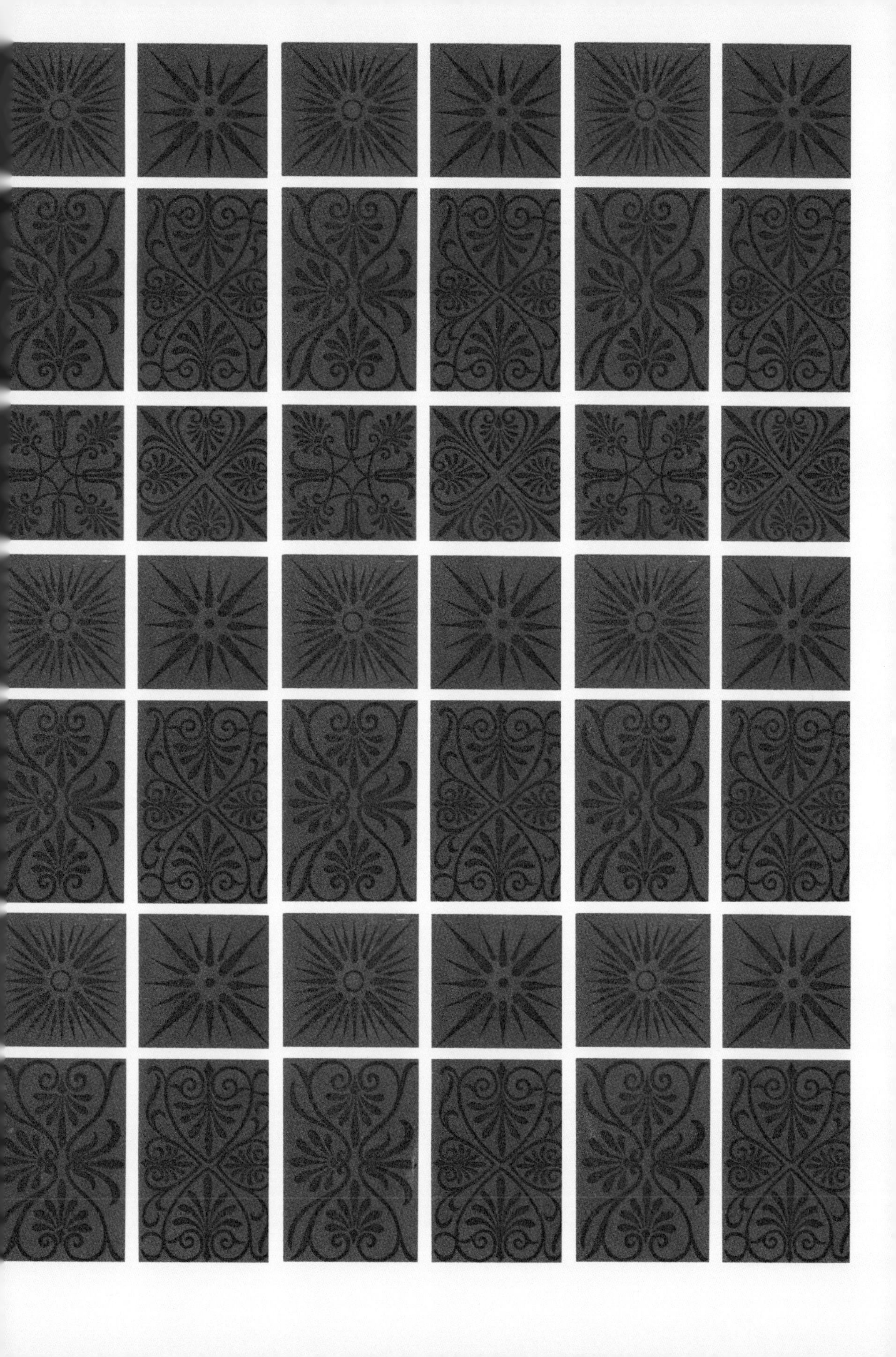

Apium graveolens

Selleriesamen

Der scharfe Selleriesamen erinnert an den grasigen Duft von frischem Heu und hat im Rohzustand einen bitteren Geschmack, der beim Kochen süß wird.

PASST ZU
Eiern, Hähnchen, Fisch, Meeresfrüchten, Tomaten, Kartoffeln, Gurken, Avocados

PROBIEREN
Selleriesamen und Meersalz im Verhältnis 1:2 zu Selleriesalz vermischen. Als Speisewürze oder für einen Bloody Mary verwenden: Wodka und Tomatensaft im Verhältnis 2:5, 1 große Prise Selleriesalz, den Saft von 1 Zitrone sowie je 1 Spritzer Worcestershiresauce und Tabasco zu einem Cocktail mixen.

ABBILDUNG LXXIX
Renaissance Nr. 6
Ornamentale Muster, die von einem Porzellandekor aus dem 17. Jahrhundert übernommen wurden, scheinen die ganze Selleriepflanze zu verkörpern: Wurzeln, Stiele, Blätter und Samen.

DER WINZIGE, DUNKELBRAUNE Samen der Selleriepflanze hat kleine, für das bloße Auge unsichtbare Kanten. Er ist würzig und erdig im Geschmack und hat Anklänge von Muskatnuss (Seite 120) und Petersilie. Da die Samen so klein sind, sollte man sie nicht fein mahlen, sonst würden sie schnell ihr Aroma verlieren. Leichtes, trockenes Anrösten ist vielleicht die beste Art, Selleriesamen als Zutat für Gerichte aufzubereiten; allerdings können sie auch roh gegessen werden. Entscheidend ist, dass sie wohldosiert verwendet werden: Der Schein trügt, denn ihre kleine Größe steht in keinem Verhältnis zu ihrer Schärfe. Im alten Rom wurden Selleriesamen als Katerprophylaxe verwendet. Kein Wunder also, dass sie bis heute fester Bestandteil eines *Bloody Mary* sind. Selleriesamen werden auch in Beizgewürzen, Salatdressings, Kraut- und Kartoffelsalat, Senfen und Chutneys verwendet und sind eine wichtige Zutat in Hühnersuppe und Rauchwurst (Mettwurst) nach traditionell deutscher Art. Das gute alte Selleriesalz – Selleriesamen mit Meersalz gemahlen – ist ein etwas aus der Mode gekommenes Würzmittel für Salate, Dressings, Suppen und Eintöpfe. Für eine herrlich durstlöschende Sellerielimonade wird zunächst ein Sirup mit Selleriesamen angesetzt, der dann mit Soda oder Sprudelwasser verdünnt wird.

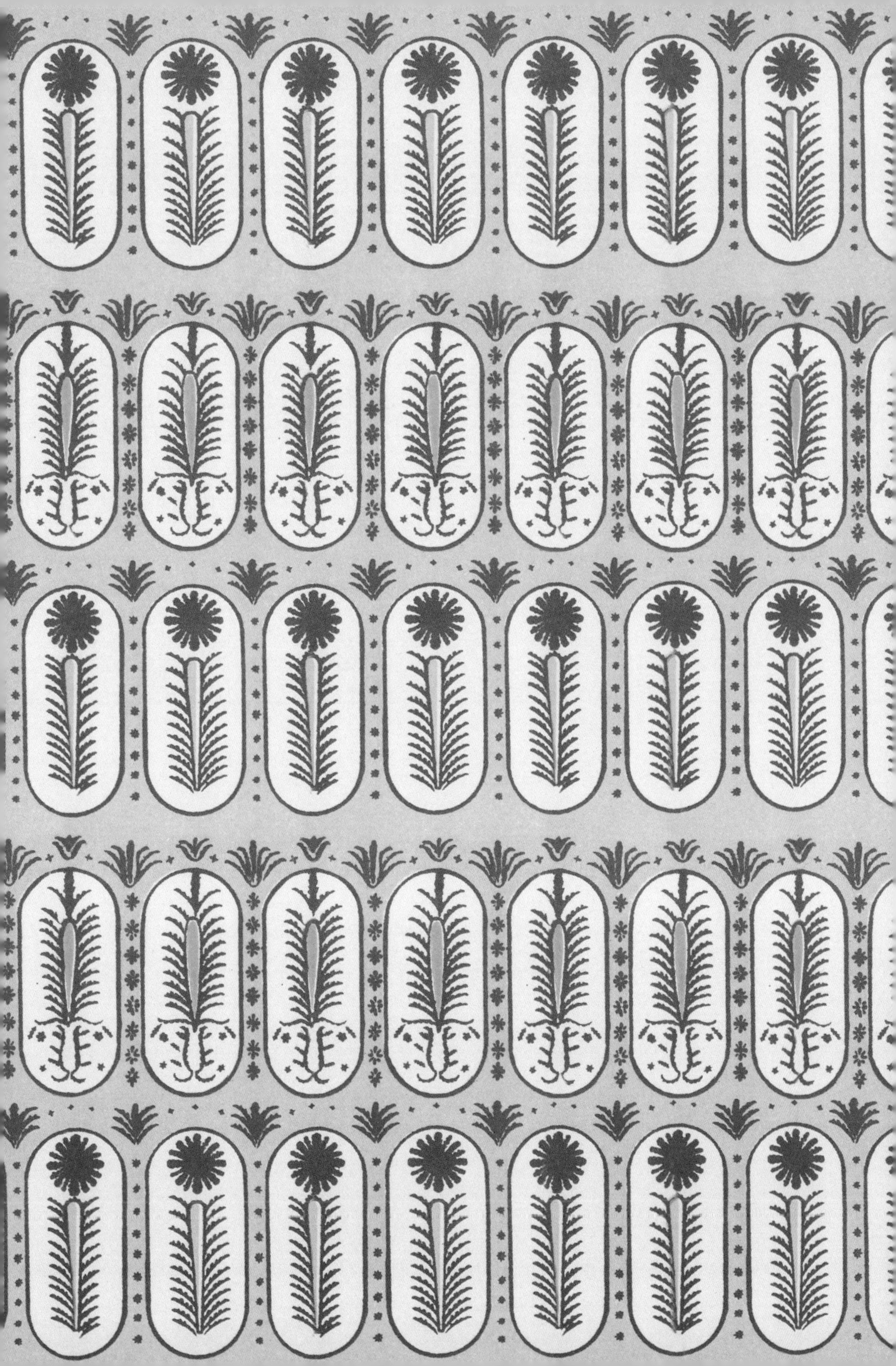

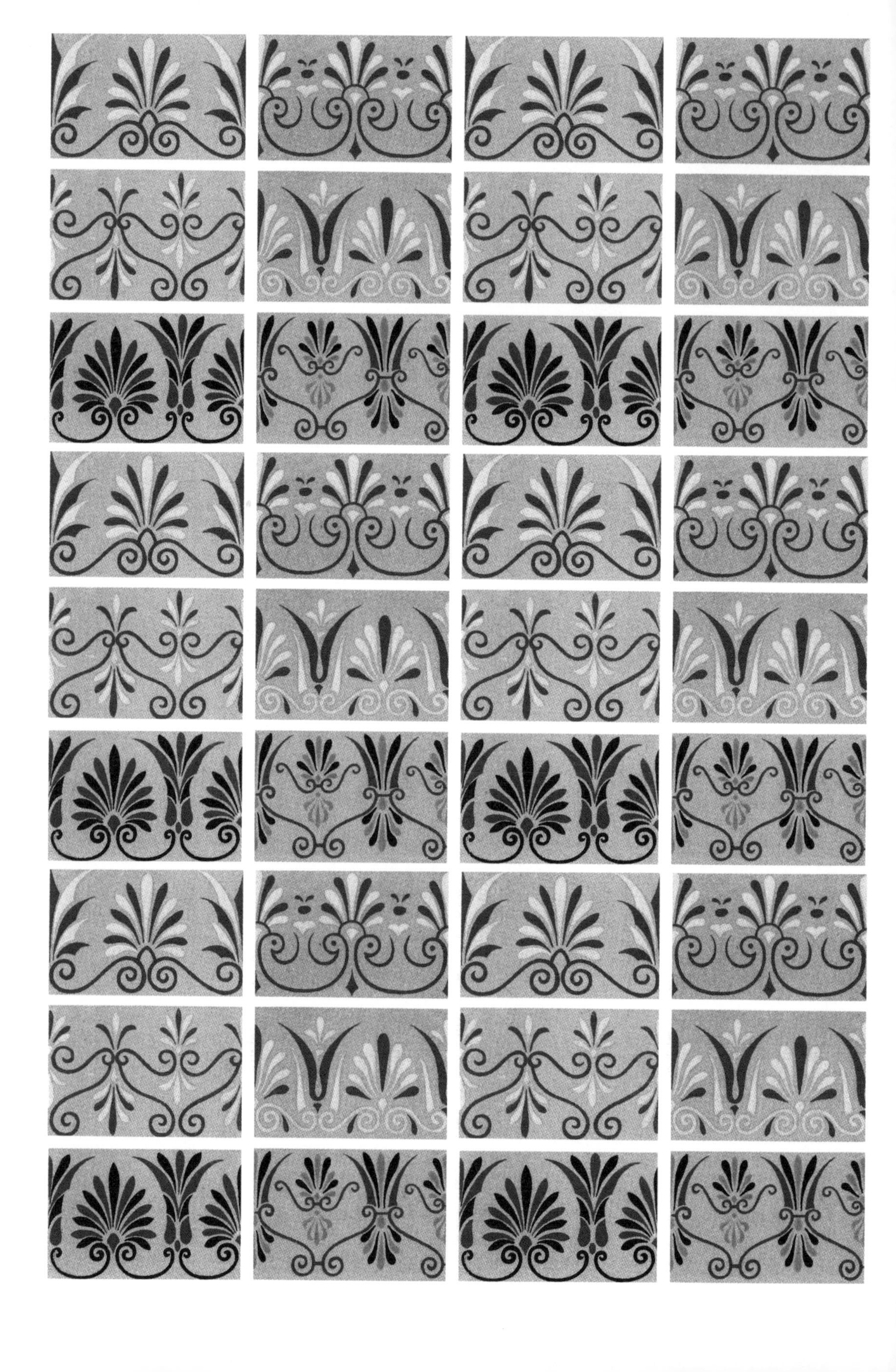

Backhousia citriodora

Zitronenmyrte

Aus den dunstigen Regenwäldern im Herzen und im Südosten von Queensland in Australien kommt dieses erwärmende Gewürz mit intensiver Zitrusnote.

PASST ZU
Hähnchen, Lamm, Fisch, Meeresfrüchten, Schweinefleisch, Milch, Eiern, Reis, Nüssen, Kürbis, Kokosnuss, Ingwer, Erbsen, Himbeeren, Erdbeeren, Pfirsichen

PROBIEREN
Eine Sauce hollandaise mit gemahlener Zitronenmyrte zubereiten; Kekse mit Zitronenmyrte backen – schmeckt besonders gut in Kombination mit Akaziensamen (Seite 18); Zitronenmyrte mit zerlassener Butter verrühren und zu Lamm, Fisch oder Gemüse servieren.

HERKUNFT
Queensland, Australien

ABBILDUNG XXII
Griechisch Nr. 8
Anstelle von südwestpazifischer Ornamentik deuten diese Muster die sich leicht zurückkrümmenden, lanzettlichen Blätter und die Blütenpracht mit ihren üppigen Staubfäden an.

DIE ZITRONENMYRTE, OFT auch als Teebaum bezeichnet, wurde 1853 von dem englischen Botaniker James Backhouse entdeckt. Als Myrtengewächs der Gattung *Backhousia* ist sie auch nach ihm benannt. Von Natur aus wächst sie an der Ostküste Australiens von Brisbane bis Rockhampton. Beim Zerreiben ihrer dicken, glatten Blätter wird Zitrusaroma freigesetzt – ein geschmackliches Zusammenspiel aus Zitronenzeste, Thymian und dem Duft von gemähtem Rasen; sie soll sogar noch intensiver als Zitrone schmecken, so behaupten einige. Die cremefarbenen Blütenstände muten dank ihrer langen Staubblätter stark verzweigt an und sind genauso genießbar wie die Blätter und die grünen Früchte.

Die Blätter werden getrocknet und zu einem Gewürz gemahlen, das in allem seinen Zauber entfaltet – von Kurzgebratenem aus der Pfanne und Farcen bis hin zu Currys, Kammmuscheln und Butterkeksen. Zitronenmyrte kann in allen Rezepten verwendet werden, die auch Zitronengras oder Zitronenabrieb enthalten und schmeckt besonders gut in sahnigen Desserts – Eiscreme, Puddings und Käsekuchen – sowie zu gegrilltem oder gebratenem Fleisch. Es empfiehlt sich eine maßvolle Verwendung, denn der Zitrusgeschmack kann dominieren, auch wenn langsames Garen das intensive Aroma etwas abmildert. Zitronenmyrtesalz, das bei Küchenchefs in hoher Gunst steht, ist ideal zum Würzen von Geflügel und Fisch.

Das intensive Zitrusaroma kommt von dem starken Citralgemisch (einer Mischung verschiedener Duftstoffe), das 30 Mal höher konzentriert ist als die Aromastoffe von Zitronen. Die getrockneten Blätter eignen sich als Raumduft oder zum Auffrischen des Duftes von Kleider- und Schuhschränken.

Bixa orellana

Annatto

Die im tropischen Südamerika beheimateten Bäume, die Annattosamen in Hülle und Fülle hervorbringen, werden aufgrund ihrer dekorativen Schönheit hoch geschätzt.

PASST ZU
Rind, Hähnchen, Schwein, Fisch, Eiern, Okraschoten, Erbsen, Zwiebeln, Kürbis, Tomaten, Knoblauch, Orangen, Zitronen

PROBIEREN
2 EL Annattopulver, 3 zerdrückte Knoblauchzehen, 1 TL fein gehackten Oregano, ½ TL Paprikapulver, Salz, Pfeffer und ausreichend Weißweinwessig zu einer Paste anrühren. Einen Fisch damit bestreichen und vor dem Grillen einige Stunden ziehen lassen.

HERKUNFT
Südamerika

ABBILDUNG XLV
Persisch Nr. 2
Die rötlich-orangefarbenen Annattosamen und ihre fast geometrischen Formen spiegeln sich in diesen Mustern wider.

Bis zu 50 rötlich-orangefarbene Samen wachsen in diesen stacheligen, fast erdbeerförmigen Schoten des Annattostrauchs. Die Samen sind unglaublich hart. Deshalb müssen sie vor dem Zermahlen in lauwarmem Wasser aufgeweicht werden, oder aber sie werden im Ganzen mitgeschmort und vor dem Servieren herausgenommen. Annattosamen wurden lange als Lebensmittelfarbe und sogar für Bodypainting verwendet: Die intensive Samenfarbe kommt von dem gelb-orangefarbenen Farbstoff Bixin aus der Gruppe der Karotinoide. Brasilien und die Philippinen sind die Hauptproduzenten von Annatto (oder Achiote), der in der Karibik und Mittelamerika vom Orleansstrauch, wie der Annattostrauch auch genannt wird, geerntet wird.

Annattosamen sind leicht aromatisch und haben feine Anklänge von Erde und Pfeffer. In Lateinamerika, auf Jamaika, auf Guam (einer Insel des zu den USA gehörenden Marianen-Archipels) und auf den Philippinen werden sie als Paste oder Pulver verwendet. Annatto kann den teureren Safran ersetzen – z. B. in den spanischen Gerichten *Arroz con pollo* (Reis mit Huhn) und *Arroz con gandules* (Reis mit Schweinefleisch und Erbsen). In Venezuela wird Annatto für die *Hallacas* verwendet – in Bananenblätter gehüllter Maismehlteig mit Rind-, Schweine- oder Hähnchenfleisch, Rosinen, Kapern und Oliven. Annatto bildet auch die Grundlage für Recado Rojo (S. 208), eine Paste nach Yukatan-Art, und ist das Basisgewürz für das mexikanische Nationalgetränk *Taxcalate*, ein Getränkepulver auf Basis von Mais und Kakao mit Pinienkernen, Vanille und Zucker. Der New Yorker »Gewürz-Guru« Lior Lev Sercarz verwendet Annatto mit Muskatblüte und Chilipulver in seiner beliebten Gewürzmischung *Amber*, die er zum Bestreuen von in Butter geschwenkten Pekannüssen empfiehlt, bevor sie goldbraun gebacken werden.

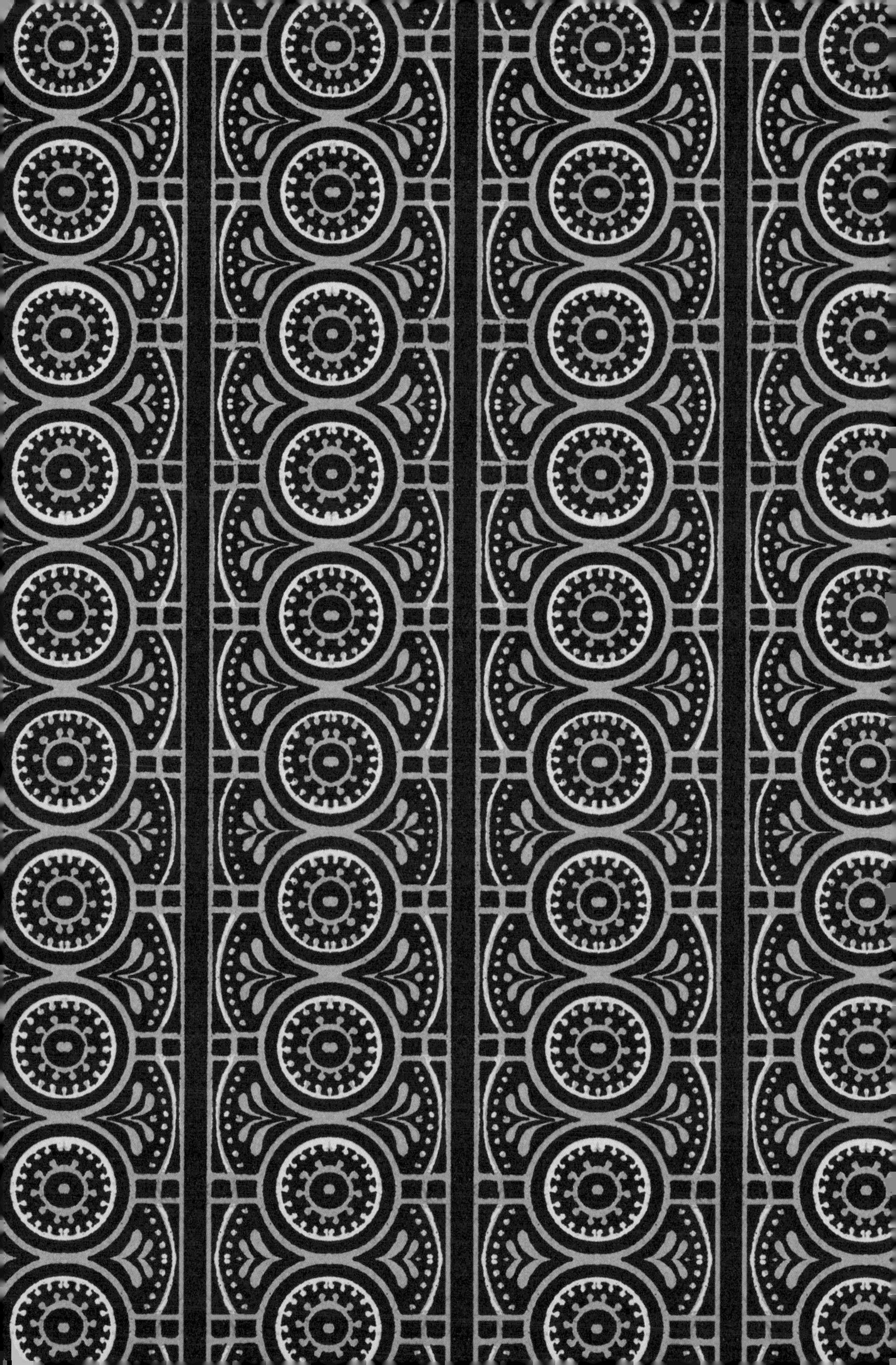

Brassica species

Senfkörner

Einst gehörte er zur Grundausstattung jeder Hausapotheke – Senf ist eines der tränentreibenderen Gewürze.

PASST ZU
Rind, Schweineschinken, Hähnchen, fettem Fisch, Meeresfrüchten, Zwiebeln, Kartoffeln, Lauch, Kohl, Spinat, Kapern, Gewürzgurken, Honig, Käse

PROBIEREN
Für einen einfachen Möhrensalat 5 geriebene Möhren mit 1 EL Zitronensaft, Salz und schwarzem Pfeffer vermengen. 1 EL Senfkörner in 2 EL Sonnenblumenöl anbraten, bis sie aufplatzen; dann über die Möhren geben und gut vermischen.

HERKUNFT
Amerika, Europa, Himalaja, Mittlerer Osten, Nordafrika

ABBILDUNG XXIII
Pompejanisch Nr. 1
Gelb, Ziegelrot (umseitig) und Schwarz zitieren die Schärfe und Wirkkraft von Senf. Die pompejanischen Muster spielen auf den Vulkanausbruch an, der die Stadt verwüstete (gegenüber und umseitig).

Es GIBT IM Wesentlichen drei Senfpflanzen: sehr scharfen schwarzen Senf (*Brassica nigra*), der in Amerika und Europa gedeiht; etwas weniger scharfen braunen Senf (*Brassica juncea*), der aus dem Vorgebirge des Himalajas stammt; milden weißen Senf (*Sinapis alba*, auch als *Brassica alba* bekannt) mit seinen sonnengelben Körnern, der in Nordafrika und im Mittleren Osten wild wächst. Die Pflanzen entwickeln gelbe Blütenstände, gefolgt von schmalen grünen Schoten, die geerntet werden, sobald sie sich hellbraun verfärben. Senf kommt aus der Pflanzenfamilie der Kreuzblütler oder *Cruciferae*, zu der auch Brokkoli, Grünkohl und Kohl gehören. Die Isothiocyanate verleihen dem Senf seine tränentreibende Schärfe; jedoch werden sie erst freigesetzt, wenn die Körner aufplatzen oder eingeweicht werden; die geschlossenen Körner haben weder Aroma noch Geschmack.

Im alten Ägypten wurden ganze Senfkörner zu Fleisch aller Art gegessen. Das römische Kochbuch *De re coquinaria* aus dem 4. Jahrhundert enthält ein Rezept für einen Bratenguss aus Senfkörnern, Kümmel, Liebstöckel, Honig und Öl, der zu Wildschwein am Spieß serviert wird. Heute werden ganze Senfkörner für Essiggurken, Marinaden und aromatisierte Speiseöle verwendet. Braune Senfkörner kommen überwiegend in der indischen Küche zum Einsatz, um Currys, Dals und Tarkas eine nussige Note zu verleihen. In Italien werden Senffrüchte bzw. *Mostarda di frutta* als würziges Fruchtkompott zu Fleischgerichten gereicht.

In Frankreich werden seit dem 13. Jahrhundert Senfmischungen hergestellt. 1777 sicherte die fruchtbare Zusammenarbeit zwischen Maurice Grey und Auguste Poupon Dijon, der Hauptstadt Burgunds, ihren Platz als Zentrum der französischen Senfindustrie. Dem Dijonsenf wurde 1937 AOC-Status zuerkannt (*Appellation*

d'Origine Contrôlée). Es gibt noch weitere französische Senfe: Der Senf nach Bordeaux-Art ist dunkler, schmeckt leicht süßlich und wird mit Kräutern wie Estragon angereichert; der körnige Moutarde de Meaux ist mild-säuerlich im Geschmack; der Moutarde au Cassis ist ein roter, vollkörniger Senf mit Crème de Cassis (Likör aus schwarzen Johannisbeeren).

Im mittelalterlichen England wurden Würzkugeln aus Senfkörnern, Mehl, Zimt und Öl getrocknet und gelagert, um sie später mit Wein oder Essig angemischt zu verwenden. Die englische Vorliebe für gelben Senf begann im 18. Jahrhundert mit Mrs. Clements aus Durham, deren Geheimnis darin bestand, die gemahlenen Körner mithilfe eines Siebes zu enthülsen. Ab 1814 fing Colman's im

englischen Norwich mit der Herstellung von Senf an; in den meisten britischen Haushalten steht diese Senfmarke im Küchenschrank.

Es gibt zwei deutsche Senfspezialitäten: Bayerischer Hausmachersenf (ähnlich wie Moutarde de Bordeaux) und der Düsseldorfer Senf (eher wie Dijonsenf). Amerikanischer Senf erhält seine grellgelbe Färbung durch Kurkuma, was auch das Aroma leicht beeinflusst. Der holländische Dillsenf aus Zwolle ist ein beliebter Begleiter für Räucherfisch und wird sogar als Suppe zubereitet. So vieles stützt sich auf Senf: Argentinisches Steak ist ohne Senf undenkbar, amerikanische Hotdogs wären nicht vollständig und auch Teufelseier, Würstchen oder Wurstaufschnitt wären ohne diesen scharfen Kick ein weit ärmeres Geschmackserlebnis.

Buchanania lanzan

Charoli

Die auch als »Melonenkerne« bekannten, nach Mandeln schmeckenden Charoli sind die winzigen Samen des Chironji-Baums, der vorwiegend im Nordwesten Indiens, in Nepal und Myanmar angebaut wird.

PASST ZU
Rind, Lamm, Hähnchen, Reis, Kürbis, Pilzen, Erbsen, Linsen, Zwiebeln, Tomaten, Sahne, Kardamom, Safran, Cashewkernen

PROBIEREN
Für einen *Bread-and-Butter*-Pudding nach indischer Art je 1 Handvoll Charolisamen und Sultaninen zwischen den Brotschichten verteilen und den Pudding mit Kardamom, Muskatnuss und ein wenig Rosenwasser aromatisieren.

HERKUNFT
Nordwestindien, Nepal, Myanmar

ABBILDUNG I
Indisch Nr. 2
Linsenartige Samen und ovale Blätter werden durch diese Kombination indischer Motive perfekt dargestellt.

DER CHIRONJI-BAUM IST charakterisiert durch große, rundlich-ovale Blätter mit hellgrüner Grundfarbe, die braun-gelb gesprenkelt sind. Die länglichen, weißen Blüten bringen schließlich die Charolisamen (auch Chironjisamen genannt) hervor. Nach dem Knacken der harten Außenschale wird der stummelige Samen freigelegt, der so weich wie ein Pinienkern ist. Linsenförmig, jedoch größer als eine Linse und flacher im Profil, haben die nach Moschus duftenden Charoli einen berauschenden Beigeschmack von Haselnuss und Pistazie. Sie können roh oder geröstet gegessen werden und sind reich an Vitamin E und Zink.

Charolisamen werden in Indien häufig in Süßspeisen oder zu Pulver gemahlen als Dickungsmittel für herzhafte Saucen, Teige und deftige Kormas mit Fleisch verwendet. Zerdrückte, angebräunte Zwiebeln und Charoli ergeben eine typische Kebab-Marinade. Die Samen werden auch *Kheer* (Reispudding) und *Kulfi* (Eiscreme) beigegeben. Sie passen gut zu süßen *Halvas*, einem klebrigen indischen Konfekt, und werden auf *Shrikhand* gestreut – eine verlockende Kombination aus abgetropftem Joghurt, Zucker und Gewürzen wie Kardamom und Safran. Sie sind auch eine der Zutaten für die süße Füllung von traditionellen *Gujia*-Teigtaschen, die für das Holi-Fest im Frühling zubereitet werden.

Capparis spinosa

Kapern

In Salz eingelegte Kapern sind sehr bekömmlich … Sie haben eine heilende und belebende Wirkung und sorgen für neuen Schwung.

Seyahatname (Reisebuch), Evliya Çelebi

PASST ZU
Fisch, Meeresfrüchten, Lamm, Rind, Hähnchen, Eiern, Artischocken, Auberginen, grünen Bohnen, Kartoffeln, Knollensellerie, Blumenkohl, Tomaten, Gewürzgurken, Oliven, Senf, Sardellen, Zitronen, Petersilie

PROBIEREN
Sellerie-Remoulade, Kartoffelsalate und Thunfischsandwiches mit ein paar Kapern verfeinern; Bratenfleisch (Lamm und Rind) leicht einritzen und mit ein paar Kapern und Knoblauchstückchen spicken, nach Belieben auch mit Sardellen.

HERKUNFT
Mittelmeerraum, Sahara, Nordiran, West- und Zentralasien

ABBILDUNG XXXII
Arabisch Nr. 2
Die hier gezeigten Muster stellen die üppig wachsenden Kapernstauden und die Form ihrer Knospen dar.

Kapern sind die genießbaren, geschlossenen Blütenknospen des Kapernstrauchs, der im Mittelmeerraum, in der Sahara, im Nordiran und in West- und Zentralasien beheimatet ist. Die wuchernden, dornigen Sträucher wachsen aus Mauerritzen und auf steinigem Boden. Kapergewächse sind auf wüstenhaft aridem Gelände zwischen Felsen, auf Sanddünen und in trockenen Küstenregionen weit verbreitet.

Diese kleinen, grünen Runzelknospen entwickeln ein Senföl, das ihnen einen intensiv-pfeffrigen Geschmack verleiht. Vor dem Verzehr werden sie meist in Salz oder in Essig eingelegt. Kapern werden nach Größe verkauft: Die sogenannten Nonpareilles haben als kleinste und begehrteste Kapernqualität einen Durchmesser von bis zu sieben Millimetern. Danach folgen in aufsteigender Größe die Surfines, Capucines, Capotes, Fines und Communes. Die Kapernbeeren sind in Essig oder Salz eingelegt genießbar; sie sind fleischiger als die Knospen und haben einen Stängel, der zum Naschen einlädt.

Eingelegte Kapern sind in den Landesküchen Zyperns, Italiens und Maltas verbreitet. Sie werden für Salate, Fisch- und Fleischgerichte sowie für Pastagerichte wie *Spaghetti alla puttanesca* verwendet. Sie sind auch eine Hauptzutat in pikanten Saucen und Chutneys wie Sauce tartare, Remoulade, Tapenade, Salsa verde und Ravigote (Kräutersauce). In Kapern geschwenktes geröstetes Gemüse hat einen komplexeren Geschmack. In Ungarn und Österreich verfeinern Kapern den würzigen Liptauer (pikanter Brotaufstrich mit Paprika).

Capsicum annuum

Chiliflocken aus Urfa

Diese Chiliart wird in Form von unverwechselbaren, burgunderroten getrockneten Flocken angeboten, die an der türkisch-syrischen Grenze in der Provinzhauptstadt Şanlıurfa, schlicht Urfa genannt, hergestellt werden.

PASST ZU
Auberginen, Kürbis, Tomaten, Zwiebeln, Paprikaschoten, Peperoni, Kartoffeln, Getreide, Pasta, Bohnen, Kreuzkümmel, Paprikapulver, Zimt, Knoblauch, Schwein, Lamm, Käse, Schokolade, Eiern

PROBIEREN
Chiliflocken vor dem Backen über selbst gemachtes Fladenbrot streuen; über Hummus streuen; zum Würzen von Tomatensaucen und Auberginengerichten verwenden; für den scharfen Kick in einem kräftigen Salat mit gerösteter Paprika und Fetakäse.

HERKUNFT
Türkei

ABBILDUNG XXX
Dieses Muster ähnelt Chiliflocken, die sich aus einem scharfwürzigen Chaos heraus klar formieren.

CHILISCHOTEN AUS URFA sind ein Zwischending zwischen rundlicher Paprika und der spitzeren Chilisorte Poblano. Nach dem Pflücken werden sie tagsüber in der Sonne getrocknet; dann lässt man sie in Stoff eingewickelt über Nacht »schwitzen«, damit sie saftig bleiben. Es ist diese Kombination aus Trocknen und Fermentieren, die den unterschiedlich groß geformten Flocken ihre einzigartige Qualität verleiht. Dabei kommt ein pfefferscharfes Gewürz heraus, das milder und fruchtiger ist als gewöhnliche Chiliflocken und eine leicht ölige Textur mit anhaltendem Geschmack aufweist.

Die Chiliflocken aus Urfa sorgen in Gewürzmischungen für eine rauchig-scharfe Note, jedoch mit Anklängen von Schokolade, Wein und Rosine. Sie sind überaus vielseitig einsetzbar wie etwa in geröstetem Gemüse und zum Würzen von Fleisch aller Art, von Suppen, Pasta, Fleischbällchen und sogar Schokoladendesserts. Als Basisgewürz für Currys und Eintöpfe werden sie oft mit Kreuzkümmel (Seite 84), Paprika (Seite 52), Knoblauch und Zwiebel vermischt. Urfa-Chiliflocken erinnern durchaus an Aleppo-Pfeffer – was kaum überrascht, zumal sie nur ein einziger Gebirgskamm voneinander trennt. Aleppo – eine der ältesten dauerhaft bewohnten Städte der Welt, die bis zum Redaktionsschluss stark vom Krieg verwüstet war – liegt an der Seidenstraße zwischen China und Syrien; ihr berühmter Pfeffer ist fruchtig, süß und mild im Geschmack und hat Anklänge von Kreuzkümmel.

Capsicum annuum

Paprika

Zunächst im Ofen, über Eichenholzfeuer oder in der Sonne gedörrt, wird das Fruchtfleisch der verschiedenen Paprikasorten zu Pulver gemahlen. Paprika ist eine wichtige Zutat in Ungarn und Spanien.

PASST ZU
Hähnchen, Rind, Kalb, Wild, Ente, Schwein, Reis, Couscous, Kartoffeln, Zwiebeln, Möhren, Paprikaschoten, Kohl, Pilzen, Bohnen, Eiern, Nudeln

PROBIEREN
Zu Krabbenfleisch oder anderen Meeresfrüchten 1 kleine Prise Paprikapulver in Mayonnaise untergemischt servieren; über Eierspeisen streuen; Kartoffelspalten vor dem Rösten in Olivenöl und Paprika schwenken.

HERKUNFT
Zentralmexiko, Ungarn, Spanien

ABBILDUNG XLII
Maurisch Nr. 4
Abstrahlende Wärme und Tiefe wie gehaltvolle, rote Paprika.

Capsicum annum GAB es schon lange, bevor die Europäer auf ihn stießen: Der Chilipfeffer, wie Paprika auch genannt wird, soll bereits vor 6500 Jahren in Zentralmexiko angebaut worden sein. Nach Kolumbus' Entdeckerreise in die Neue Welt begannen die Spanier, ihre eigenen Paprikaschoten für ein Pulver zu trocknen, das blasser und süßer ist als ungarisches Paprikapulver. Chilipfeffer erreichte Ungarn über Bulgarien und die Türkei. Ursprünglich wurde er als »Türkenpfeffer« bezeichnet. Die Silbe »ika« verweist auf seine slawische Abstammung. Das getrocknete rote Pulver ist in unterschiedlich abgestuftem Blutrot und verschiedenen Geschmacksgraden erhältlich: von grellrotem Lippenstiftrot und süßlich-rauchig bis zu einem Rotbraun mit extrem feuriger Schärfe. Die gebräuchlichen Paprikasorten von heute wurden in Ungarn entwickelt, meist in den Anbauregionen Szeged und Kalocsa im Süden. Ungarischer Paprika wird nach den Geschmacksstufen *különleges* (mild) bis *eros* (stark) klassifiziert; die spanische Geschmackskala geht von *dulce* (süß, mild) bis *picante* (scharf). Spanischer Räucherpaprika wird nach wie vor in der Region La Vera hergestellt, wo Bauern die Schoten über Eichenholzfeuer dörren, um dem Paprikapulver ein charakteristisch-rauchiges Aroma zu verleihen.

Paprikapulver bildet die Grundlage für verschiedene ungarische Standardgerichte: Gulaschsuppe nach mittelalterlichem Rezept sowie Hähnchen-*Paprikasch* und *Pörkölt* (Gulasch) mit Rind- oder Schweinefleisch. In Marokko wird Paprika in Tajines verwendet; in Indien dient er dem Rotfärben von Speisen; in der Türkei werden damit Suppen und Couscous gewürzt. Paellas und *Patatas bravas* (würzige Kartoffeln), die Klassiker der spanischen Küche, enthalten reichlich davon, und Chorizo ohne Paprika ist praktisch undenkbar.

Capsicum annuum

Cayennepfeffer

Das Wort Cayenne soll von kyinha hergeleitet sein, einem Begriff aus der Sprache der Tupi, einem brasilianischen Bergvolk, der »scharfen Pfeffer« bezeichnet.

PASST ZU
Schwein, Hähnchen, Fisch, Krabben, Hummer, Zwiebeln, Tomaten, Mais, Paprikaschoten, Auberginen, Kartoffeln, Reis, Nudeln, Käse

PROBIEREN
Für Teufelsnüsse 200 g Mandeln im Backofen schonend rösten, bis sie sich leicht verfärben, dann in einer Mischung aus ½ TL Cayennepfeffer, ½ TL Meersalz, 2 TL Honig und 1 EL zerlassener Butter oder Pflanzenöl schwenken. Auf einem mit Backpapier ausgelegten Backblech verteilen und erneut einige Minuten in den Ofen geben, bis sie leicht karamellisiert sind.

HERKUNFT
Süd- und Mittelamerika

ABBILDUNG VIII
Ägyptisch Nr. 5
Diese ägyptischen Grabverzierungen bilden hier anstelle von aztekischen Formen stakkatohafte Muster, die die Schärfe von Cayennepfeffer evozieren.

Der muttersprachliche Name für das Gewürz, den die Tupi kannten, klang wie der Name eines Orts in Guyana – Cayenne –, deshalb wird auch vermutet, dass Cayennepfeffer von dort kommt. Zwar ist unklar, ob dem so ist, jedoch stammt er mit Sicherheit aus Süd- und Mittelamerika. Heute wird Cayennepfeffer auch in Afrika und Südostasien angebaut. Die Pflanze ist eine kleine Staude mit festem, holzigem Stamm und ovalen Blättern und erreicht eine Wuchshöhe von bis zu einem Meter. Die Pfefferschoten reifen in unterschiedlichen Größen, Formen und Stärken heran und haben eine glänzende, rötlich-orangefarbene Haut. Sie können drinnen und draußen gedörrt werden; in beiden Fällen muss der Wassergehalt um etwa 90 Prozent reduziert werden, was bis zu drei Tage dauern kann. Die Schoten werden dann zu feinem Pulver gemahlen oder grob geflockt. Cayennepfeffer verdankt seinen Hitze- und Schärfereiz dem Capsaicin, das im Gehirn Endorphine freisetzt und Gefühle des Wohlbefindens erzeugt. Auf der Scoville-Skala liegt die Schärfe von Cayennepfeffer zwischen 38 000 und 50 000 (im Vergleich: Paprika kommt noch nicht einmal auf 100).

Cayennepfeffer wird in scharfen Saucen sowie in Gemüse- und Linsensuppen, Currys, Eintöpfen und Chilis, zu Meeresfrüchten und in Käsegerichten verwendet – eben in allem, was Schärfe verlangt. Er kann frisch gepressten grünen Säften, Mango-Smoothies und Desserts hinzugefügt werden; der Küchenchef Raymond Blanc verwendet eine kleine Prise Cayennepfeffer in einem Kaffee-Parfait, während ihn Chocolatiers für Schokotrüffel nehmen. Einst in der viktorianischen Küche beliebt, werden heute noch Teufelsnieren mit Brandy, Apfelessig, Worcestershiresauce, Senf und Cayennepfeffer zubereitet.

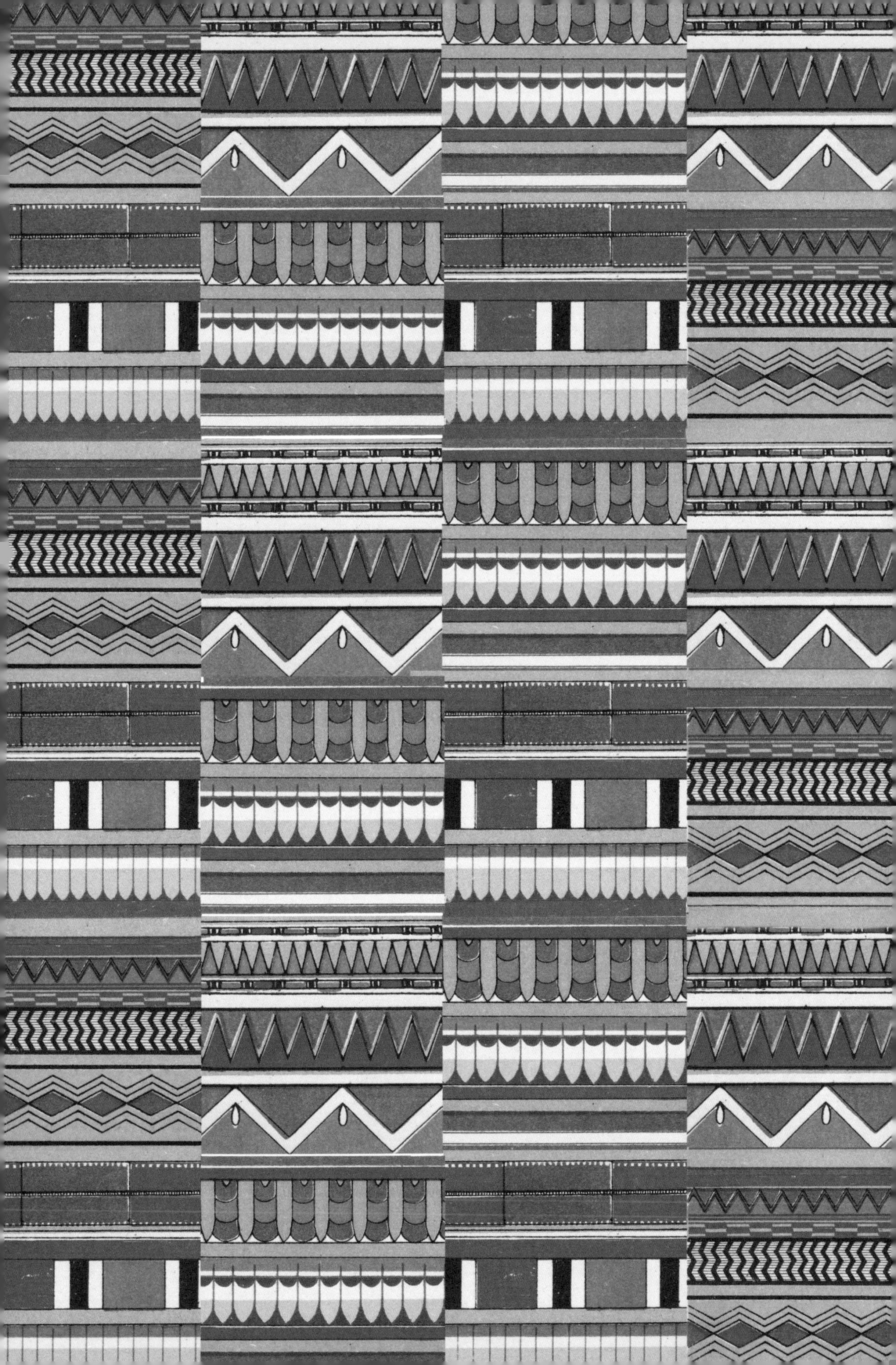

Carica papaya

Papayakerne

Der Papayabaum, auch Pawpawbaum genannt, wächst in tropischen und subtropischen Klimazonen in der ganzen Welt und trägt Früchte mit zahlreichen pfeffrigen Kernen.

PASST ZU

Honig, Senf, Zitronen, Zimt, Rind, Schwein, Hähnchen, Papayafrüchten, Kürbis, Zucchini, Avocados, Tomaten, Paprikaschoten

PROBIEREN

Vor dem Braten Steaks oder Hähnchenfleisch mit zermahlenen Papayakernen einreiben.

HERKUNFT

Südamerika

ABBILDUNG XI

Ägyptisch Nr. 8

Die Farben und Formen erinnern stark an Papayabäume, die unter der Last hängender Früchte niedergedrückt werden.

Im Tiefland von Mittelamerika beheimatet, ist der Papayabaum ein schnellwüchsiges Gehölz mit geradem Stamm und breitem Baumschopf aus großen, ahornähnlichen Blättern. Die Wachstumsskala dieser eiförmigen »Beeren« bzw. Früchte reicht von birnengroß bis zu 30 Zentimeter; allerdings haben die größeren Exemplare weniger Geschmack. In Hälften geschnitten, strömt das grellorangefarbene, weiche Fruchtfleisch einen köstlichen Duft aus. Das Kerngehäuse enthält glibberig eingebettete, schwarzgraue Samen, die fünfreihig angeordnet sind.

Obwohl die süß-säuerlichen Kerne oft weggeworfen werden, lohnt es sich, sie für die Zubereitung von Gerichten mit Papaya-Aroma zurückzulegen. Ihr Geschmack erinnert an Senf, Kresse und schwarzen Pfeffer. Die getrockneten Samen ähneln äußerlich und im Geschmack schwarzen Pfefferkörnern und können sogar zusammen mit diesen in der Pfeffermühle zu einer interessanten Würzmischung gemahlen werden.

Papayakerne eignen sich auch zum Marinieren von Fleisch: Dank des Papains, einem Enzym, das die Fleischfasern aufbricht, agieren die Samen als »Weichmacher«. In den Landesküchen Indonesiens und Südamerikas werden gedörrte und zermahlene Papayakerne zusammen mit etwas zerstampftem Fruchtmark für Koftas und Kebabs verwendet.

Papayadressing mit Honig, Essig und Senfpulver wird gerne für Luau (traditionelles hawaiianisches Hula-Fest) zubereitet. Es wird auf Avocadosalate und Kirschtomaten oder direkt auf Papayapulpe geträufelt und zu *Kalua*-Schwein gereicht, das in einer mit Steinen ausgelegten Erdvertiefung gegart wird. In Indien werden Papayakerne für einen frischen Atem gekaut.

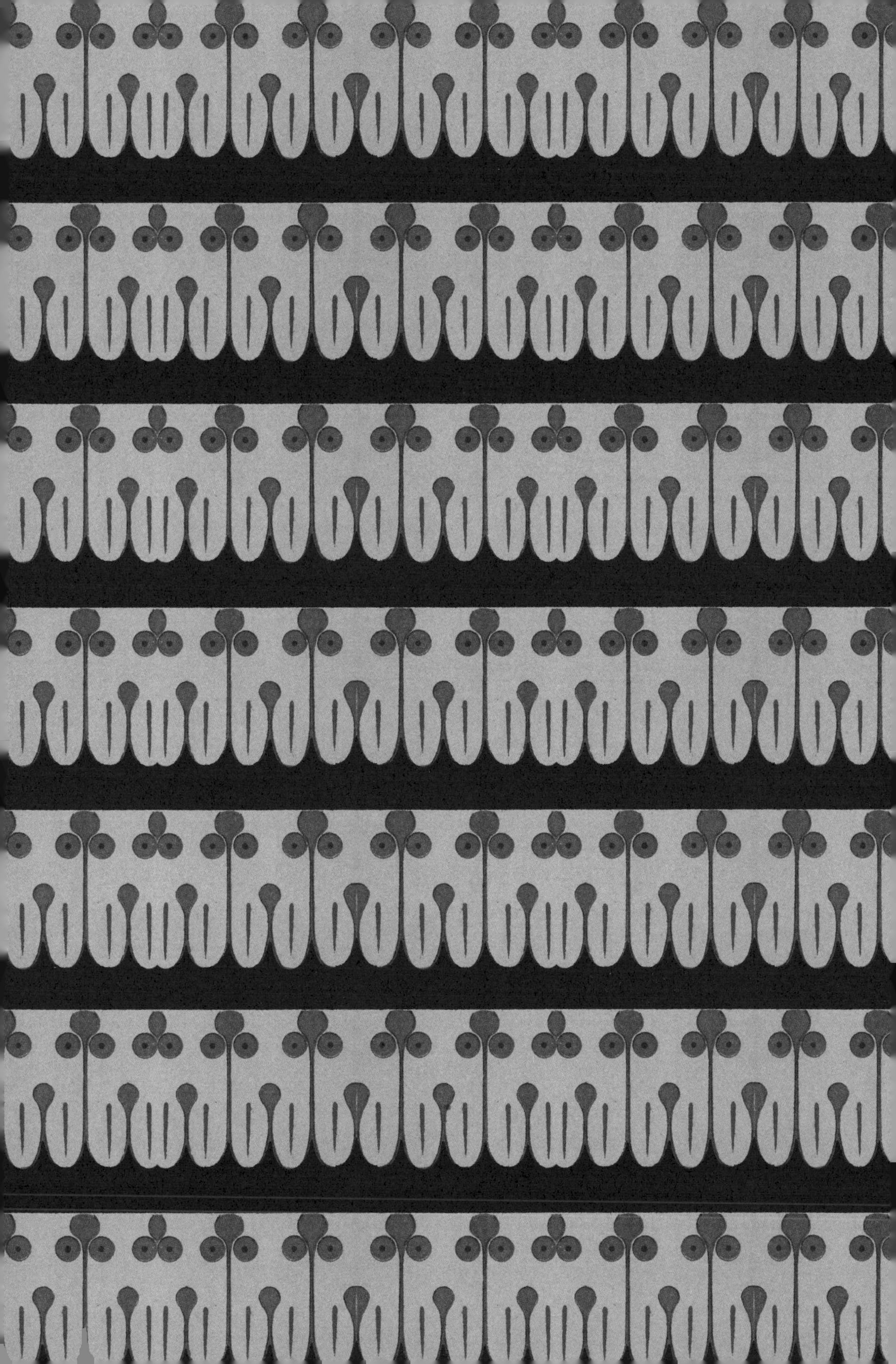

Carthamus tinctorius

Färberdistel

Rot ist, fürchte ich, nicht meine Lieblingsfarbe. Warum habe ich dann den Saflor auf meinen Ärmel abfärben lassen?

Die Geschichte vom Prinzen Genji, Murasaki Shikibu (frühes 11. Jahrhundert)

PASST ZU
Hähnchen, Fisch, Reis, Zitronen, Wurzelgemüse, Zucchini, Auberginen, Kohl

PROBIEREN
Etwas Färberdistel zum Färben von Reispudding oder Omeletts wie Tortilla oder Frittata verwenden.

HERKUNFT
Westasien

ABBILDUNG XI
Ägyptisch Nr. 8
Wie die grünen Blätter und roten Blütenblätter, die einen Goldschimmer annehmen.

Die Färberdistel, auch Saflor oder Öldistel genannt, ist eine der ältesten Kulturpflanzen. In Westasien beheimatet und als eine Unterart der Sonnenblumen sieht sie aus wie eine dunkelorangefarben blühende Distel. Aus den Blüten werden Farbstoffe gewonnen – nämlich orange, gelb, rot, olivegrün und khaki –, die bereits seit Jahrtausenden verwendet werden. Mit Saflor gefärbte Girlanden wurden offenbar auch im Grab von Tutanchamun gefunden. Die Pflanze wird heute überall angebaut – von China bis nach Nordamerika. Die Blütenköpfe werden im Sommer gepflückt und vor dem Zermahlen getrocknet. Die Färberdistel ist in gewisser Weise mit Safran vergleichbar (obwohl die beiden Pflanzen überhaupt nicht miteinander verwandt sind) und wurde von skrupellosen Gewürzhändlern oft auch als das teurere Gewürz verkauft – deswegen wird sie manchmal auch »falscher Safran« genannt.

Heute wird die Färberdistel vor allem ihrer Samen wegen angebaut, die ein leichtes Allzwecköl zum Kochen liefern. Mit wenig oder ganz ohne Aroma und als krautige, etwas ledrige Pflanze hat Saflor einen bitteren, leicht beißenden Geschmack. Die Blütenblätter können in Gerichte gestreut werden oder man kann sie wie Safranfäden zunächst in Wasser ziehen lassen. Sie färben Reisgerichte, Suppen und Eintöpfe goldgelb. In der Türkei wird die Färberdistel zum Garnieren über Fleisch gestreut; die Portugiesen verwenden sie zum Würzen von Fischeintöpfen. Das Gewürz ist in syrischen Gerichten wie Omeletts, *Kibbeh* (eiförmige Bulgurklöße mit Faschiertem und Zwiebeln) und *Fakhdeh* unentbehrlich.

Carum carvi

Kümmelsamen

Kümmel bewirkt, dass sich Blähungen und Husten auflösen, Delir abklingt und Juckreiz verschwindet, der durch Schlangen- oder Insektenbisse entsteht.

Macer floridus (Kräuterbuch der Klostermedizin), 12. Jahrhundert

PASST ZU
Äpfeln, Orangen, Ente, Gans, Schweinefleisch, Nudeln, Zwiebeln, Kartoffeln, Kürbis, Möhren, Kohl, Tomaten

PROBIEREN
Gehackte Zwiebeln und 1 TL Kümmelsamen in reichlich Butter anschwitzen, dann gekochten Kohl darin schwenken; den Teig für Käsestangen oder Salzgebäck mit Kümmelsamen mischen; Butterkekse mit Kümmelsamen und Zitronat (Sukkade) backen.

HERKUNFT
Asien, Nord- und Mitteleuropa

ABBILDUNG LXXXI
Renaissance Nr. 7
Hier spiegeln sich im Rausch der Muster und Farbtöne die vielen unterschiedlichen Verwendungsmöglichkeiten von Kümmelsamen in aller Welt wider.

Auch Echter Kümmel bzw. regional Wiesenkümmel oder Gemeiner Kümmel genannt, denken wir bei Kümmel»samen« eigentlich an getrocknete Saat. Vom Aroma her erinnert Kümmel an Anis. Er ist erwärmend, erdig und hat meist Anklänge von Zitrus und Minze. Als Teil der Doldenblütlerfamilie (*Umbelliferae*), zu der auch Pastinaken, Petersilienwurzeln und Möhren gehören, ist er ein winterhartes Gewächs, das ursprünglich aus Westasien, Nord- und Mitteleuropa stammt. Kümmel wird heute in Nordamerika, Marokko, den Niederlanden, Deutschland und Finnland angebaut.

Das Gewürz wird seit jeher mit Treue assoziiert und ist eine Hauptzutat in mittelalterlichen Liebestränken. Man glaubte, ein paar Kümmelsamen im Portemonnaie des bzw. der Geliebten würde ihn oder sie von einem Seitensprung abhalten; auch Hab und Gut galten als sicherer, wenn man ein paar Kümmelsamen im Haus verstreute. Obwohl Kümmel in der Backkunst des mittelalterlichen Englands ein wichtiges Gewürz war, galt er – wie durch das Zitat aus dem mittelalterlichen Kräuterbuch belegt – hauptsächlich als Heilmittel.

Kümmelsamen eignen sich gut für herzhafte Wintereintöpfe, Suppen und Gulasch sowie für Käse, Kekse und Brotsorten verschiedenster Art. In Serbien werden sie über *Pogačice sa kimom* (hausgemachtes Salzgebäck) gestreut. Ebenso werden sie im Altenglischen Gewürzkuchen (*Old English Seed Cake*) verwendet, der traditionellerweise zu einem Glas Madeira gegessen wird. Kümmel eignet sich als Wurstgewürz und harmoniert gut mit fettem Fleisch wie Gans, Ente und Schwein.

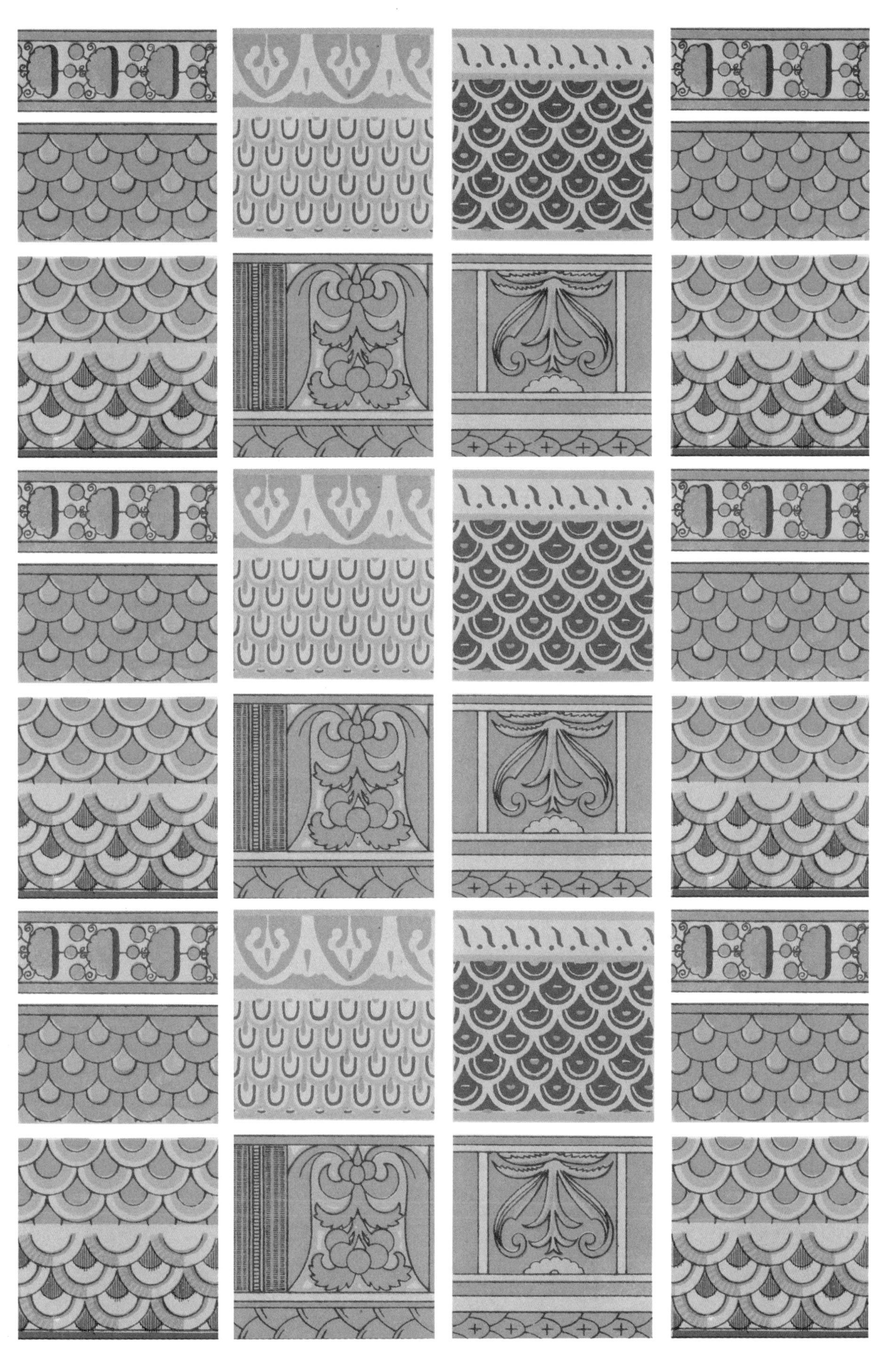

Ceratonia siliqua

Johannisbrot

1. November. Goldene Blätter
flüstern ihre Sätze durch die blauen Fesseln des Windes.
Ich breche eine erste Karube auf.

»Autumn« (Herbst), Charles Wright (1977)

PASST ZU
Joghurt, Erdnussbutter, Milch, Vanille, Orangen, Beeren, Trockenobst, Nüssen

PROBIEREN
1 EL Johannisbrotkernmehl in den Brotteig einarbeiten, um ihm eine dunklere Färbung und einen süßlichen Johannisbrotgeschmack zu verleihen; Johannisbrotkernmehl mit anderen Gewürzen wie Zimt, Muskatnuss, Ingwer, Vanille und Kardamom vermischen und mit Erdnuss- und Mandelbutter zu einem Aufstrich anrühren.

HERKUNFT
Gesamter Mittelmeerraum

ABBILDUNG XVIII
Griechisch Nr. 4
Diese Muster, in Farbe und Form wie Johannisbrotschoten, kommen ebenfalls aus dem Mittelmeeraum.

JOHANNISBROT ODER KARUBEN nennt man die Früchte des Karubenbaums, die nach Johannes dem Täufer benannt sind, der von »Heuschrecken und Waldhonig« lebte (Karuben sind auch als Heuschreckenbohnen bekannt). Die Bäume sind im gesamten Mittelmeerraum beheimatet und gedeihen in Katalonien, an der Algarve, auf Sizilien und Sardinien, in Kroatien, Griechenland und Zypern. Auch der Begriff »Karat« ist dem Gewürznamen entlehnt, denn Johannisbrotkerne wurden einst im Edelmetallhandel zum Goldwiegen verwendet.

Die runzelig braunen Schoten, die bis zu 30 Zentimeter lang werden können, enthalten neben dem süßen, klebrigen Fruchtfleisch auch harte Kerne, aus denen ein natürliches Dickungsmittel gewonnen wird. Zur Herstellung von Johannisbrotkernmehl werden die Schoten samt Fruchtfleisch nach dem Herauslösen der Kerne gedörrt und fein gemahlen. Johannisbrot hat ein erwärmendes Aroma und erinnert im Geschmack an Kakaopulver, obwohl das Mehl süßer und nicht so bitter ist. Wegen seines niedrigeren Fettgehalts galt es im Vergleich zu Kakao als gesünder; allerdings wird dies inzwischen angezweifelt, da das Fruchtmark einen hohen natürlichen Zuckergehalt hat. Als sirupartige Zutat eignet es sich besonders gut für Kuchen, Muffins, Kekse und Fondant. Johannisbrotmelasse, für die die Schoten erst in Wasser eingeweicht und dann zu einer sirupartigen Flüssigkeit eingekocht werden, ist im östlichen Mittelmeerraum ein herkömmliches Süßungsmittel, so etwa auch für *Nazuktan*, einen türkischen Salat mit Auberginen, Mandeln, Tahina (Sesampaste) und Minze.

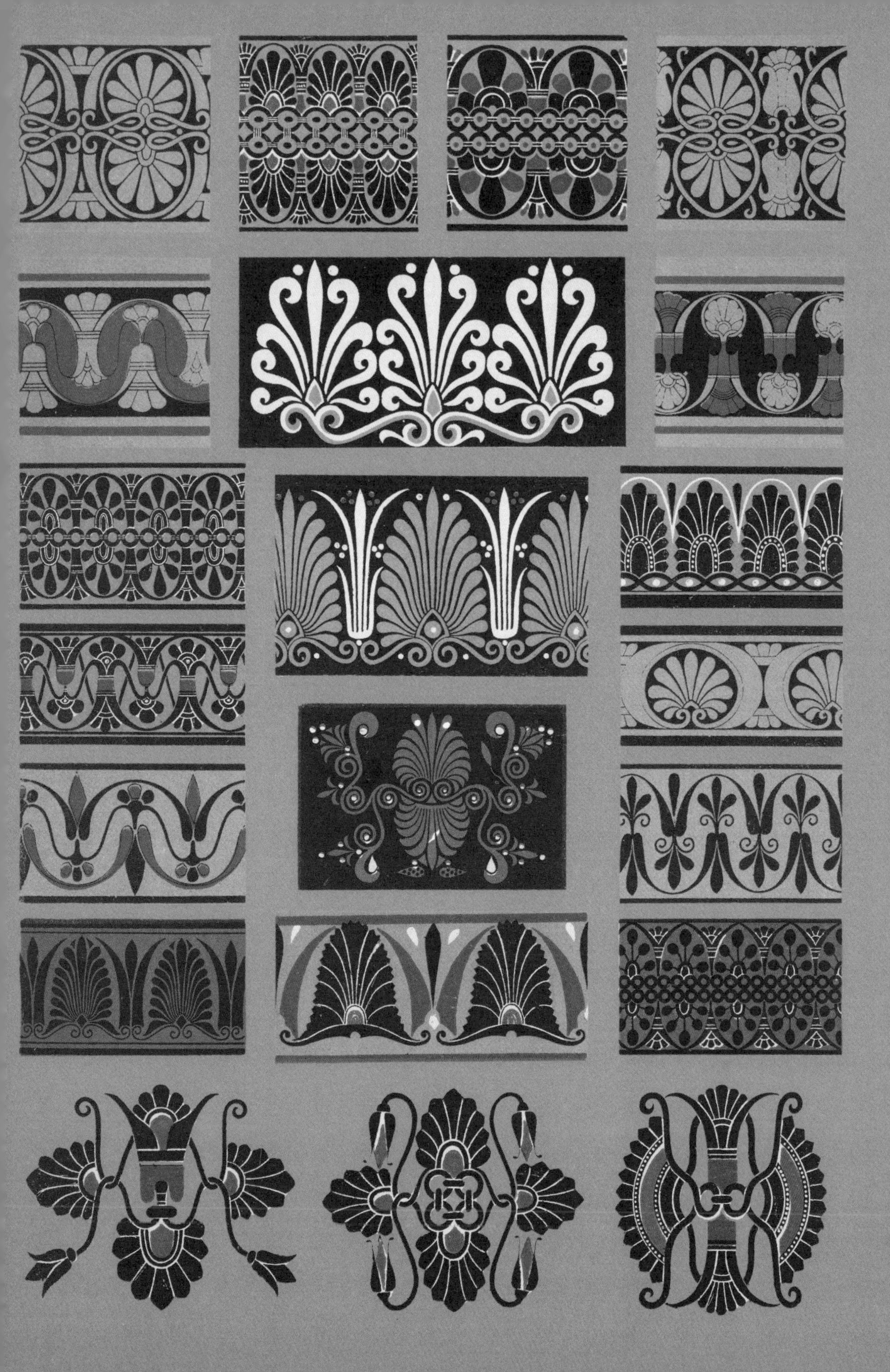

Cinnamomum tamala

Indisches Lorbeerblatt

In der Antike und im Mittelalter auch unter dem lateinischen Namen malabathrum bekannt, soll es sich hierbei um eine Heilpflanze handeln.

PASST ZU
Äpfeln, Pflaumen, Zwetschgen, Fleisch, Hähnchen, Reis, Getreide, Bohnen, Wurzelgemüse

PROBIEREN
Indische Lorbeerblätter zum Aromatisieren von Pilaw-Reis und Linsensuppe verwenden.

HERKUNFT
Indien, Nepal, Bangladesch, Bhutan, China

ABBILDUNG LIX
Chinesisch Nr. 1
Blattformen, die zwischen den Vierpassknoten im Negativraum der Bildfläche an Gewürznelken erinnern.

AUFGRUND IHRES GEWÜRZTEEDUFTS sind die schlank-ovalen, hellrot-braunen Blätter auch als *teijpat* (wörtlich »würziges Blatt«) bzw. als Malabarblätter bekannt, die nach der gleichnamigen Küste in Indien benannt sind. Das warme, moschusartige Aroma hat einen leichten Anklang von Zitrus. Die Blätter stammen von dem immergrünen Tej-Patta-Baum, der im tropischen und subtropischen Himalaja in 2500 Metern Höhenlage wild wächst. Die alten Ägypter verwendeten die Blätter in Parfümen. Im alten Rom wurden sie unter dem Namen *folium* (Blatt) oder *folium indicum* (indisches Blatt) in Kultzeremonien, in der Medizin und zum Kochen verwendet. Im römischen Kochbuch *De re coquinaria* aus dem 4. Jahrhundert steht, dass jede Küche *malabathrum* – auf Sanskrit »Blätter eines dunklen Baumes« – haben sollte, nämlich zum Aromatisieren von Wein und für die Zubereitung von »Kreuzkümmelsauce für Austern und Meeresfrüchte«.

Wie das Lorbeerblatt (*Laurus nobilis*) gehören auch die Indischen Lorbeerblätter zur Familie der *Lauraceae*. Sie werden ähnlich verwendet, nämlich werden sie während des Gar- oder Kochprozesses hinzugefügt und vor dem Servieren entfernt; jedoch sind sie doppelt so lang wie Lorbeerblätter, haben drei Blattadern statt nur einer und sind vom Aroma her ganz anders, da sie noch enger mit Cassia-Zimt (Seite 66) verwandt sind. Sie haben ein charakteristisches zimtähnliches Aroma und einen Geschmack, der an Gewürznelken erinnert. Ihrer leichten Schärfe wegen eignen sie sich auch gut für Currys. Das Lorbeerblatt wird in Nordindien für Gerichte mit persisch-arabischem Einschlag verwendet – z. B. in Biryanis und Kormas. Zu Pulver gemahlen, wird es Garam Masala (Seite 200) beigemischt.

Cinnamomum cassia

Cassia-Zimt

In Fragment 44 schreibt Sappho anlässlich des Hochzeitszugs für Hektor und Andromache durch das schicksalsträchtige Troja über glühenden Cassia-Zimt: »und ein herrlicher Duft stieg gen Himmel auf«.

PASST ZU
Äpfeln, Pflaumen, Zwetschgen, Limetten, Rind, Schwein, Lamm, Hähnchen, Wild, Reis, Bohnen, Süßkartoffeln, Kürbis, Tomaten, Schokolade

PROBIEREN
Eine Cassia-Zimtstange zum Aromatisieren von Pfannengerichten, Glühwein, Eiscreme und Apfelkompott verwenden.

HERKUNFT
Südchina

ABBILDUNG LIX
Chinesisch Nr. 1
Elemente, die an Cassia-Zimtstangen erinnern, bilden formelle Reihenmuster, die auf die chinesische Provenienz des Gewürzes verweisen.

In der Antike war Cassia-Zimt zweifellos beliebt: Archäologen haben Hinweise darauf gefunden, dass dieses Gewürz bereits im 7. Jahrhundert auf der Insel Samos verwendet worden war. Cassia-Zimtbäume, so behaupteten Herodot und Plinius, wurden von fledermausähnlichen »Gewürzvögeln« bewacht. Näherten sich Pflücker, so sollen die sagenumwobenen Vögel laut gezwitschert haben und in deren Gesichter geflogen sein. Cassia-Zimt wird leicht mit Ceylon-Zimt (Seite 68) verwechselt, obwohl ihm sein hoher Gehalt an ätherischen Ölen viel mehr Schärfe verleiht. Cassia-Zimtstangen werden aus aromatischer, gedörrter Zimtrinde gewonnen, die vom immergrünen Chinesischen Zimtbaum aus der Familie der Lorbeergewächse stammt und überall in Südostasien angebaut wird – von Indien bis Vietnam, über Taiwan, Laos und Malaysia. Die graue Rinde wird in der Regenzeit »geerntet«, wenn sie leichter vom Stamm abgezogen werden kann. Die röhrenförmigen Rindenstücke entstehen beim Trocknen auf natürliche Weise. Sie sind jeoch nicht so stark eingerollt wie Ceylon-Zimtstangen, weil die Rinde der Zimtkassie dicker und härter ist.

Cassia-Zimt hat ein eindeutiges Zimtaroma, ist aber weniger fein im Geschmack, süßer und säuerlicher. Gemahlen wird er dem chinesischen Fünf-Gewürze-Pulver (Seite 197) beigemischt, im Ganzen für Fleisch oder Geschmortes verwendet. Auch wird er in Stangenform in indischen Currys mitgekocht. Die Knospen der Zimtkassie können getrocknet werden: Sie sehen aus wie kleine Gewürznelken, sind aber milder in Aroma und Geschmack; in Salz eingelegt werden sie in Marinaden und für Konserven verwendet.

Cinnamomum verum

Ceylon-Zimt

Der römische Naturforscher und Philosoph Plinius der Ältere behauptete, dass Zimtstangen auf Flößen aus Äthiopien kamen, die nur mit »Mensch und Mut« angetrieben waren – ohne Segel und Ruderriemen.

PASST ZU
Äpfeln, Birnen, Pflaumen, Himbeeren, Aprikosen, Bananen, Mandeln, Schokolade, Rahm, Kaffee, Lamm, Schwein, Hähnchen, Rind, Wild, Reis, Couscous, Auberginen, Tomaten, Zwiebeln

PROBIEREN
Zimt-Toast zubereiten: Zimt und Kristallzucker – je nach bevorzugter Aromaintensität – im Verhältnis 1:3 bis 1:4 mischen. Über sehr großzügig mit Butter bestrichenen Toast streuen und unter den Backofengrill geben, bis die Butter schmilzt.

HERKUNFT
Sri Lanka

ABBILDUNG XXI
Griechisch Nr. 7
Wie junge Triebe, aus denen einmal Zimtstangen werden.

Aus der Innenrinde des immergrünen, in Sri Lanka heimischen Ceylon-Zimtbaums aus der Familie der Lorbeergewächse gewonnen, ist Zimt leicht süß und erwärmend und hat Anklänge von Erde und Gewürznelke. Das Gewürz ist schon lange bekannt. Die Ägypter verwendeten es als Duftstoff bei der Leichenkonservierung, und der römische Kaiser Nero verbrannte in einem Akt der Sühne seine zweite Gemahlin Poppaea Sabina auf einem Scheiterhaufen aus Zimtstangen. Der altgriechische Historiker Herodot erzählte die Geschichte von Riesenvögeln, die Zimtstangen bis zu ihren für Menschen unerreichbaren Gebirgshorsten verbrachten. Um an den Zimt zu kommen, legten die Menschen unten große Eselfleischbrocken aus, die von den Vögeln aufgepickt wurden; so fielen die Nester schließlich unter der Last der Fleischbeute herunter und der Vorrat an Zimtstangen konnte eingesammelt werden.

Echter Zimt, wie Ceylon-Zimt auch genannt wird, wurde in Sri Lanka im Jahre 1505 von den Portugiesen entdeckt. Die Insel war dann jahrhundertelang umkämpftes Gebiet und ging schließlich von den Holländern in britische Hand über. Bis 1833 hielt die Ostindien-Kompanie das Zimtmonopol, danach begann der Freihandel. Heute wird Zimt nicht nur in Sri Lanka angebaut, sondern auch in Vietnam, Indonesien, China, Myanmar und auf den Seychellen. Wenn Zimtbäume etwa zwei Jahre alt sind, werden sie gestutzt und die Stümpfe werden abgedeckt. Durch den Stockausschlag entsteht ein lichter Buschwald. Aus den jungen Trieben, die in die Höhe schießen, wird Zimtrindenöl gewonnen.

In seinem verschollenen Buch *Über Trunkenheit* behauptete Aristoteles offenbar, dass mit Zimt gewürzter Wein weniger berauschend sei; Glühwein wird immer noch mit Zimt, Muskatnuss (Seite 120), Vanille (Seite 176) und Sternanis (Seite 110) angesetzt.

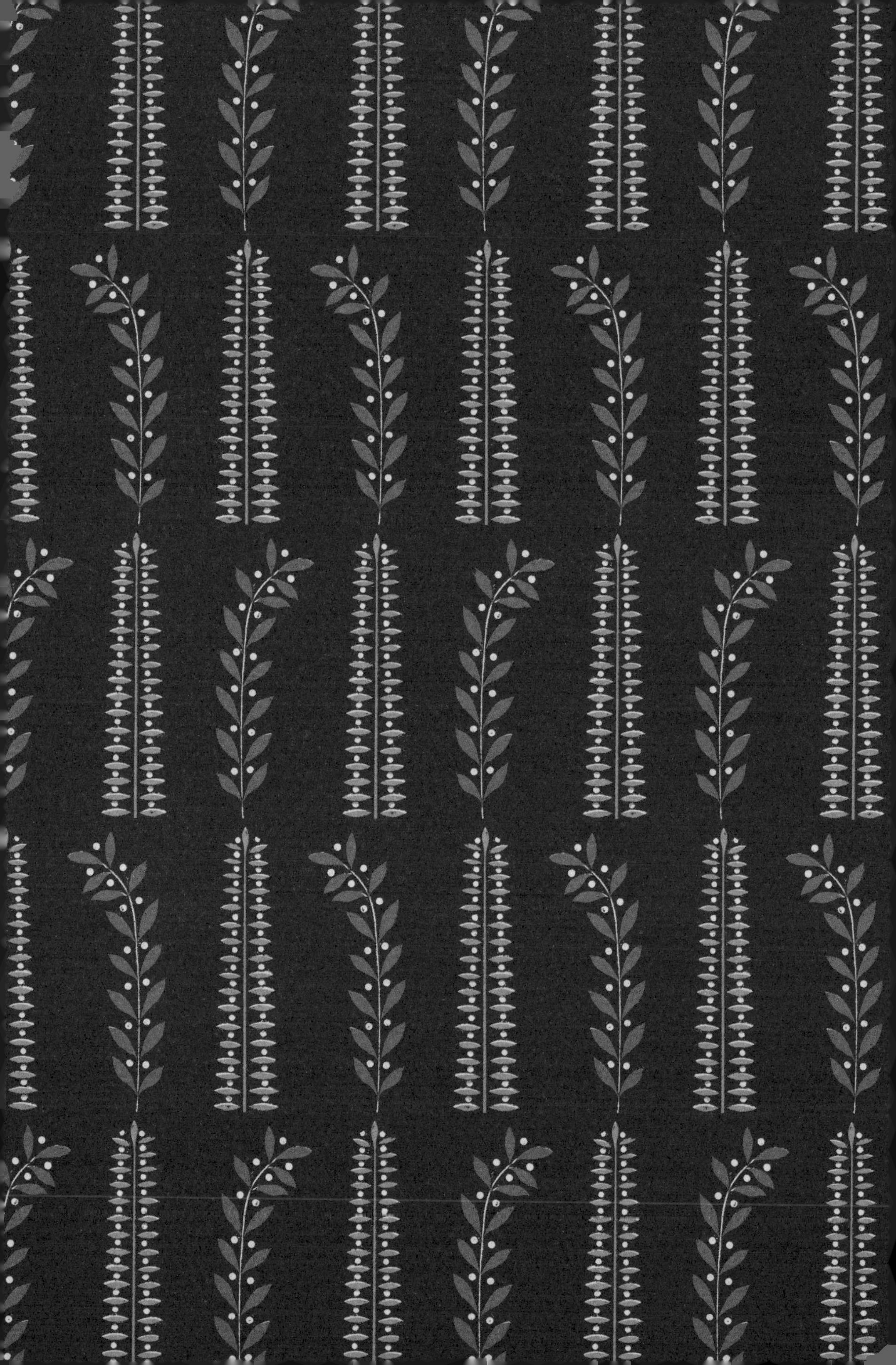

ABBILDUNG XVIII
Griechisch Nr. 4
Zimtplantage in formellen Reihen voller Aroma.

In Europa und Nordamerika ist Zimt ein aromatisierendes, warmes Gewürz für Brot, Quiches, Kuchen, Puddings und Dessertcremes. In Nordafrika und Indien werden damit Tajines, Eintöpfe, Chutneys und Pilaws aufgepeppt. Zimt war auch einer der ersten Aromastoffe für Schokolade. Schwedische Zimtschnecken (*Kanelbullar*) sind ein skandinavisches Naschwerk – ein verfeinerter Hefeteig, der mit einer Füllung aus Zimtpulver, Zucker und Butter zu einer

Rolle gewickelt, in Scheiben geschnitten und gebacken wird. In ihrem opulenten Dessertbuch *Honey from a Weed* präsentiert Food-Autorin Patience Gray Rezepte für *Crema catalana*, eine katalanische Dessertcreme mit Karamellkruste aus Zimt und Milch, die mit Zitronenzesten erhitzt wurde, sowie *Fichi mandorlati*, getrocknete Feigen, gefüllt mit Mandeln und Zimtrinde, die in einem Freiluftofen gebacken werden.

Citrus hystrix

Kaffernlimette

Die grobwarzige, hellgrüne Kaffernlimette stammt von dem immergrünen Limettenbaum, der in Südostasien beheimatet ist und heute auch in Australien und Kalifornien angebaut wird.

PASST ZU
Fisch, Meeresfrüchten, Schwein, Hähnchen, Reis, Pilzen, grünen Bohnen, Auberginen, Blumenkohl, Kokosnuss, Chilischoten, Ingwer, Zitronengras, Koriander, Minze, Papayas, Mangos

PROBIEREN
Frische Limettenblätter zerdrücken und in Cocktails oder Limonaden geben; Fischbauch vor dem Backen im Ofen mit einigen Limettenblättern auslegen; die Sahne für Pannacotta mit einem zerdrückten Limettenblatt aromatisieren.

HERKUNFT
Südostasien

ABBILDUNG LIX
Chinesisch Nr. 1
Die hellgrünen Oktogone in der abstrahierten Form der runzeligen Frucht spiegeln perfekt die Limetten wider, die von ihren dunkleren grünen Blättern umgeben sind.

Meist werden beim Kochen Zesten und Blätter verwendet und weniger ihr Saft. Die dunkelgrünen, glänzenden Zwillingsblätter mit zwei symmetrisch wachsenden Blattlappen erinnern von der Form her an eine Sanduhr. Ihre kraftvolle Würze setzt ein pikant-zitronenartiges Aroma frei, das halb an Zitrone, halb an Limette erinnert. Die Zesten schmecken bitter – gewissermaßen entsprechend ihrem runzelig-schrumpeligen Aussehen – und haben einen Hauch von Zitrus. Getrockneten Zesten und Blättern fehlt das intensive Frische-Aroma.

Der botanische Name ist umstritten. *Kaffer*, was auf Arabisch »untreu« bedeutet, hat in einigen Teilen der Welt eine sehr abwertende, rassistische Bedeutungsebene, vor allem in Südafrika; deswegen gibt es heute eine Bewegung, alle Verweise im Zusammenhang mit dieser Frucht zu tabuisieren – was daran erinnert, dass Essen und Sprache nie weit voneinander entfernt sind. Da die Kaffernlimette in der Thai-Küche vorwiegend zum Aromatisieren eingesetzt wird, ist es sinnvoller, den thailändischen Urbegriff *makrut* zu verwenden.

Die frischen ganzen Blätter verleihen thailändischen Suppen, Salaten und Currys einen vorzüglichen Geschmack. In gerebelter Form verfeinern sie auch pikante Quiches mit Fischbelag. Der Schalenabrieb kann auch in das scharfwürzige Reisgericht *Larb Gai* gegeben werden. Die Kombination aus Zitronengras, Ingwer und Kaffernlimettenblättern ergibt ein asiatisches *Bouquet garni* (Kräutersträußchen). Jasminreis nimmt durch Beigabe einiger Blätter ein besonderes Aroma an; ebenso gut eignen sie sich für Brathähnchen. In einigen Ländern ist der Import frischer Blätter wegen des Erkrankungsrisikos seit vielen Jahren verboten, jedoch haben experimentierfreudige Anbauer mit der Gewächshauszucht begonnen und beliefern Restaurants, Läden und Supermärkte.

Citrus × latifolia

Loomi

Unter verschiedenen botanischen Begriffen – ob Loomi oder Limo Amani – bringt die »getrocknete schwarze Limette« einen säuerlich-vergorenen Geschmack in Eintöpfe und Suppen.

PASST ZU
Lamm, Hähnchen, Fisch, Meeresfrüchten, Schwein, Rind, Reis, Couscous, Quinoa, Linsen, Bohnen, Nüssen

PROBIEREN
Das Loomi-Pulver zu Gemüsesuppen, Linsen- oder Bohnensalaten hinzufügen, um die Aromen zu wecken; vor dem Garen Steaks oder Hähnchenstücke damit einreiben.

HERKUNFT
Oman

ABBILDUNG XXXV
Arabisch Nr. 5
Diese Muster und Loomi haben eine gemeinsame Provenienz. Die schwarzrandigen Kreise spielen auf die Frucht an, das Innenmuster auf das Fruchtfleisch der Limette.

Getrocknete Limetten sind eine beliebte Zutat im Iran, Irak, den Golfstaaten, in Nordindien und in zunehmendem Maße auch andernorts. Die am häufigsten angebaute Limettenart ist *Citrus latifolia*. Für die Herstellung von Loomi werden reife Limetten kurz in Salzwasser gekocht und dann mehrere Wochen an der Sonne gedörrt. In dieser Zeit verfärbt sich die Schale schwarz und das Fruchtfleisch nimmt ein dunkles, rotstichiges Braun an. Schwärze, Dichte und Festigkeit sind je nach Dörrzeit unterschiedlich. Die Limetten verlieren nach Wochen in der Sonne so viel Gewicht, dass sie sich fast hohl anfühlen.

Loomi sind angenehm sauer und haben eine leichte Zitrusnote; der Gärprozess schlägt sich auf den Geschmack nieder. Sie können in Stücke geteilt in Suppen oder Eintöpfen mitgekocht – im Iran z. B. in *Khoresh* – oder gespalten und (ohne Kerne!) zu feinem Pulver gemahlen werden, das sich für Linsen- und Bohnengerichte eignet. Loomi-Pulver kann vor dem Grillen zum Marinieren von Steaks oder Schweinekoteletts verwendet oder in Basmatireis mitgekocht werden.

Das Pulver wird am Persischen Golf landesübergreifend für Fisch verwendet. Es ist Bestandteil der Gewürzmischung Baharat (Seite 193), einer traditionellen Zutat in der arabischen und iranischen Kochwelt. Alternativ zu sommerlichem Eistee kann ein nach Zitrus duftender Tee mit Loomi gekocht werden. Genauso erfrischend sind Loomi-Cocktails mit Rum und Angostura.

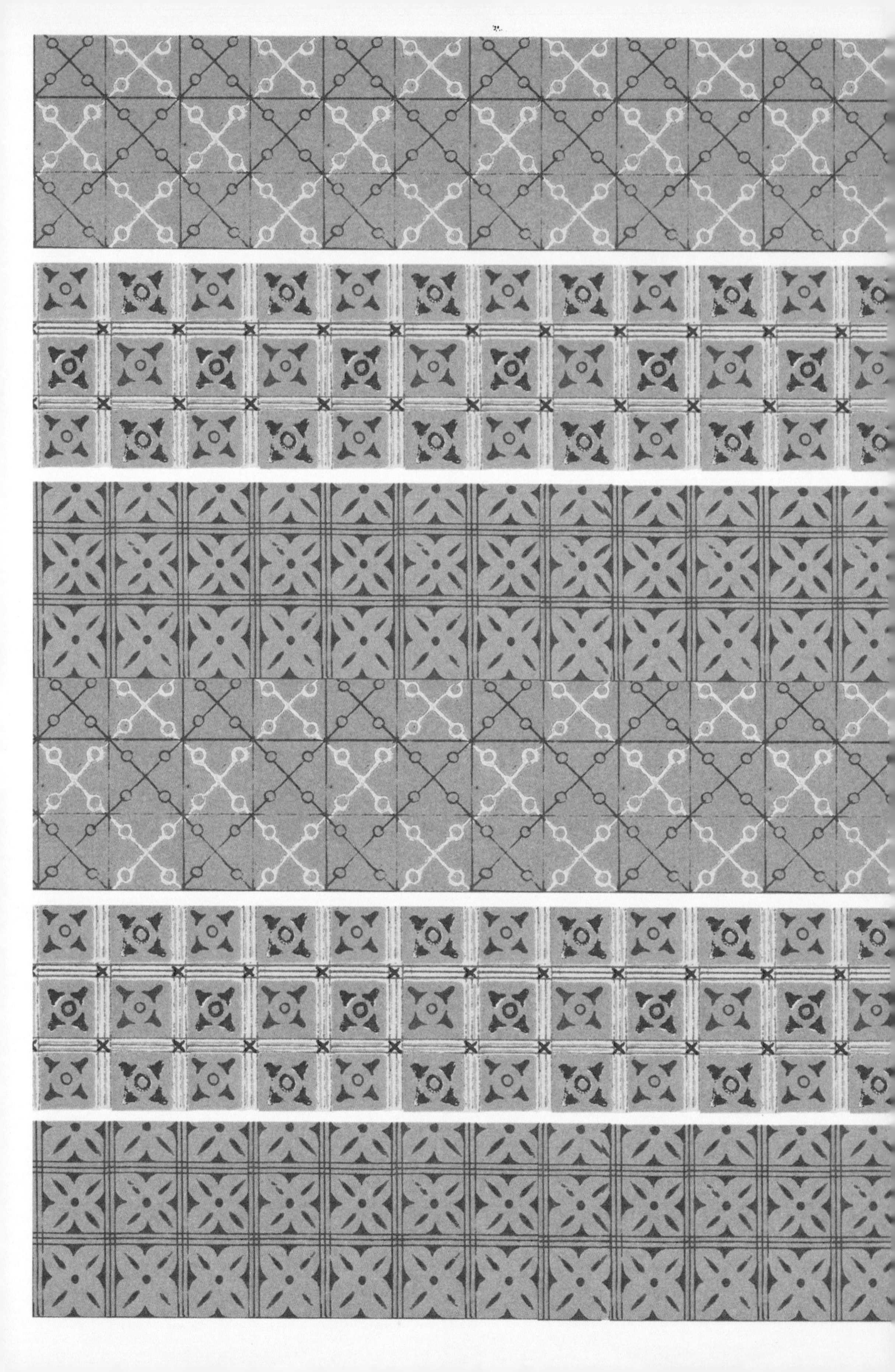

Coriandrum sativum

Koriandersamen

Vergil schrieb ein Gedicht über Moretum, eine Art römisches Pesto. Darin werden Korianderblättchen beschrieben, wie sie »an ihren grazilen Zweigen zittern«.

PASST ZU
Äpfeln, Pflaumen, Orangen, Zitronen, Hähnchen, Schwein, Ente, Fisch, Pilzen, Zwiebeln, Kartoffeln, Blumenkohl, Kreuzkümmel, Kardamom, Kaffee

PROBIEREN
Zu gegrilltem Weißfisch oder grünen Bohnen: 2 TL Koriandersamen rösten und grob zermahlen. Mit 1 EL Orangensaft, 1 TL Orangenabrieb, 2 TL Apfelessig, 4 EL Olivenöl, Salz und Pfeffer zu einem Dressing verrühren.

HERKUNFT
Südeuropa und Mittelmeerraum

ABBILDUNG LXVIII
Mittelalter Nr. 3
ABBILDUNG LIX
Chinesisch Nr. 1
Holzigkeit und Gewürz werden durch diese Kombination von Mustern dargestellt (gegenüber und umseitig).

PFEFFRIG-HOLZIGE KORIANDERSAMEN – eigentlich Körner, die zwei Samen in einer knackigen Hülle enthalten – haben eine lange, glorreiche Geschichte. 1983 fanden Archäologen in der Nahal-Hemar-Höhle in den Berghängen am Toten Meer ein Geheimversteck mit Koriandersaat, das über 8000 Jahre unberührt geblieben war. Koriandersamen wurden auch unter den Goldschätzen und Edelsteinen im Tutanchamun-Grab gefunden: Das Gewürz galt den alten Ägyptern als wichtige Mitgift für die Reise ins Jenseits. Das römische Kochbuch *De re coquinaria* enthält Rezepte mit Koriandersamen, beispielsweise Linsen mit Maronen und »Kürbisse nach Alexandria-Art«.

Nur kurze Zeit davor, im Jahre 1226 gemäß unserer Zeitrechnung, schrieb Muhammad bin Hasan al-Baghdadi *Kitab al-Tabikh,* ein Kochbuch, das 159 arabische Rezepte umfasste; viele davon enthalten neben Kreuzkümmel (Seite 84), Ingwer (Seite 186) und grünem Kardamom (Seite 94) auch Koriandersamen. Der renommierte französische Koch Vincent La Chapelle, der im Dienste des Fürstentums Orange stand, nahm in sein Kochbuch *Le Cuisinier moderne* (1736) ein elegantes Rezept für Truthahn am Spieß auf, der mit »zwei Gläsern Champagner abgelöscht … und mit Gewürznelken, Lorbeerblättern, Knoblauch, Zitronenscheiben und Koriandersamen« aromatisiert wird.

Koriander wird sowohl als Gewürz (Samen) und als Kraut (Blätter und Stängel) verwendet; das Kraut wird in Nordamerika oft »Cilantro« genannt. Das Saatgut wird weltweit angebaut, u.a. in Indien, im Iran, in Osteuropa und in Mittel- und Nordamerika. Die Koriandersamen haben ein mildes Aroma, süßlich-pfeffrige und blumige Noten und einen feinen Hauch von Orangenschale. Das Gewürz wird weltweit in vielen Küchen verwendet. In einem

mediterranen Rezept, das von der britischen Köchin Elizabeth David inspiriert ist, werden Pilze zusammen mit zerstoßenen Koriandersamen, Zitronensaft und Lorbeerblättern gedünstet.

In Nordafrika sind Koriandersamen Bestandteil von Gewürzpasten wie etwa Harissa (Seite 201) und Gewürzmischungen wie Ras el-Hanout (Seite 207), während sie im Libanon eine Hauptzutat für *Taklia* sind, eine scharfe Paste, die vor dem Servieren in Linsensuppe eingerührt wird. In Indien sind gemahlene Koriandersamen Teil der Gewürzmischung Garam Masala (Seite 200). Koriandersamen befnden sich auch in vielen Gerichten aus Zypern, wie etwa in *Afelia* (geschmortes

Schweinefleisch nach zypriotischer Art, mit Rotwein und Koriander aromatisiert), und in *Chakistes (*mit viel Koriander marinierte, grüne Olivenstückchen). Das erdige Gewürz wird auch gerne für Roggenbrot, Gerstenbrei, Blutwurst, Wild und Gin verwendet. Koriandersamen eignen sich auch zum Würzen von süßen Kuchen und Keksen, u.a. *Goosnargh-Shortbreads* (altenglisches Feingebäck aus Lancaster), die mit Kümmel und/oder Koriander aromatisiert werden. In Katalonien werden *Bunyols* (Süßkartoffelkrapfen) aus der Region Empordà mit Koriander gebacken.

Crocus sativus

Safran

In Aristophanes' Lustspiel Die Wolken *erinnert sich Strepsiades an das Parfüm seiner Gemahlin, als sie ins Hochzeitsbett kam – »von Safranduft geschwängert, lustvolle Küsse …«*

PASST ZU
Hähnchen, Kaninchen, Lamm, Eiern, Fisch, Meeresfrüchten, Kartoffeln, Lauch, Möhren, Spinat, Paprikaschoten, Tomaten, Reis, Mandeln, Pistazien, Knoblauch, Orangen, Zitronen, Birnen, Pfirsichen, Aprikosen, Kardamom, Sahne

PROBIEREN
Für Safranpüree einige Esslöffel Milch und Olivenöl (im Verhältnis 1:1) zusammen mit reichlich Safranfäden erhitzen und 15 Minuten ziehen lassen. Gekochte Kartoffeln glatt pürieren und gleich danach mit der Safranmischung verrühren.

HERKUNFT
Westasien

ABBILDUNG XLIV
Persisch Nr. 1
Diese Muster – Safrangelb mit Rot für die Blütenstände und Grün für die Blätter – stammen aus Persien, wo das Gewürz wohl seinen Ursprung hat.

Aus Vorderasien und wohl auch aus Persien stammend, wird Safran in der Bibel, in Homers *Ilias* und in Vergils Gedichten gerühmt. Alexander der Große soll nach der Rückkehr aus der Schlacht entzündungshemmende Safrankrokusblüten zum Wundheilbaden verwendet haben. Safran kam über Persien nach Asien, wo ihn buddhistische Mönche zum Einfärben ihrer Roben benutzten (bald schon erwies sich Gelbwurz als günstigere Alternative). Um das Jahr 960 gemäß unserer Zeitrechnung wurde Safran durch die Araber in Spanien eingeführt; aber erst im 13. Jahrhundert wurde er in Italien, Frankreich, England und Deutschland großflächig angebaut, nachdem Kreuzfahrer und Pilger mit (zwiebelartigen) Safranknollen heimgekehrt waren. Das mittelalterliche französische Kochbuch *Le Viandier de Taillevent* (um 1300) enthielt ein Rezept für einen »Goldenen Schwan« mit dem Zubereitungsschritt: »das Gefieder und den Kopf mit einer Paste aus Eigelb, Safran und Honig vergolden«. Heute ist Spanien einer der führenden Safranhersteller – hochgepriesener spanischer Safran aus der Region La Mancha genießt neben Iran, Griechenland, Kaschmir und Marokko den Status einer EU-geschützten Herkunftsbezeichnung.

Preislich oft mit Gold verglichen (obwohl er tatsächlich etwas günstiger ist), ist Safran ein sehr teures und in Anbau und Ernte aufwendiges Gewürz. Nur die blattlose, blaue Krokusblüte – *Crocus sativus* – liefert diese gekräuselt-dünnfädigen, grellorangefarbenen und roten Safrannarben bzw. -fäden. Die Krokusblüte dauert jeden Herbst nur einige Wochen und die Narben können nur von Hand verlesen, gepflückt und getrocknet werden. Oft wird diese Arbeit von Familienteams auf bodenständigen Plantagen geleistet. Zum Ende der Erntezeit findet meist ein großes Fest statt.

ABBILDUNG XLIV
Persisch Nr. 2
Safran-Krokusse, die in gepflegten Beetreihen wachsen.

Dieses herb-scharfe, moschusähnliche und blumige Gewürz ist unglaublich komplex. Seine feine Noblesse ist unübertroffen. Angesichts der Tatsache, dass es das teuerste Gewürz der Welt ist, braucht man zum Glück nur wenig davon, um ein herzhaftes Gericht zu zaubern, das im Aroma an Honig und Heu erinnert. Safran ist eines der wenigen wasserlöslichen Gewürze; d. h., er muss in etwas lauwarmem Wasser eingeweicht werden, damit er Geschmack und Farbe entwickelt. Man kann Gerichten auch ganze Narben beigeben – nach einer Faustregel reichen drei Safranfäden pro Portion. Man beachte, dass ein Zuviel an Safran einen fast so bitteren Geschmack im Mund hinterlassen kann wie Medizin.

Betörend duftender Safran ist für einige europäische Küchenklassiker unentbehrlich – wie etwa für Marseiller *Bouillabaisse*, katalanische *Paella* und *Risotto alla milanese*. In Indien wird Safran in *Biryani*, in *Jodhpur-Lassi* (Joghurtgetränk) und in *Shahi Raan* (marinierte Lammkeule mit Safran-Rosinen-Sauce) verwendet. Safran eignet sich gut für Meeresfrüchte, Geflügel und Kaninchen und verleiht auch Süßspeisen wie Milchreis und Vanillepudding, dem iranischen Nachtisch *Shole Zard* (süßer Reispudding mit Safran, Rosenwasser und Mandeln) und den berühmten *Safran Buns* (Advents-Teegebäck aus Cornwall), einem Pendant des traditionellen Safrangebäcks *Lussekatter* (Luciagebäck) in Schweden, seinen Zauber.

Cuminum cyminum

Kreuzkümmel

Die alten Römer verwendeten Kreuzkümmel wie Pfeffer. »Wenn man aller Gewürze überdrüssig ist, so bleibt Kreuzkümmel doch stets willkommen«, sagte schon Plinius.

PASST ZU
Hähnchen, Lamm, Rind, Meeresfrüchten, Bohnen, Roten Beten, Kohl, Möhren, Pastinaken, Auberginen, Zwiebeln, Kürbis, Kartoffeln, Reis, Linsen, Bohnen, Eiern, Peperoni, Knoblauch, Koriander, Zimt, Zitronen, Orangen

PROBIEREN
2 EL Kreuzkümmelsamen leicht rösten, dann im Mörser zusammen mit 1 ½ EL Meersalz zerstoßen. Gekochte und geschälte Wachteleier im Kreuzkümmelsalz rollen und servieren.

HERKUNFT
Unbekannt; jedoch soll er nach landläufiger Meinung aus Ägypten und dem östlichen Mittelmeerraum stammen.

ABBILDUNG XXII
Griechisch Nr. 8
Kegelförmige Samen, die im Erdreich vergraben sind und farblich an Ägypten erinnern, evozieren die erdige Essenz von Kreuzkümmel.

DIE GETROCKNETEN OVALEN Samen – botanisch betrachtet Früchte – der blühenden Kumin-Pflanze sind gehaltvoll, herzhaft-erdig und bittersüß und sehen wie kleine Kümmelsamen aus (Seite 60). Biblischen Beschreibungen nach soll das Gewürz im ägyptischen Niltal geerntet worden sein. Arabische Händler brachten den Kreuzkümmel nach Indien und dank der Phönizier gelangte er über Nordafrika bis auf die Iberische Halbinsel; die Berber transportierten das Gewürz mit Kamelkarawanen quer durch die Sahara. Heute wird Kreuzkümmel, auch Kumin genannt, in Indien, China, Japan, Indonesien, Nordafrika und Amerika angebaut.

Aufgrund seines einzigartigen, scharfen Geschmacks ist Kreuzkümmel bemerkenswert vielseitig. Er wird quer durch Indien, Nordafrika und den Mittleren Osten verwendet und Gewürzmischungen beigegeben, u.a. dem iranischen Advieh (Seite 192), dem afghanischen *Char Masala*, dem indischen und bangladeschischen Garam Masala (Seite 200), *Chaat Masala*, Panch Phoron (Seite 205), Ras el-Hanout (Seite 207), einer Gewürzmischung der Berber, sowie dem georgischen *Svanuri Marili*, dem arabischen Baharat (Seite 193) und dem nordafrikanischen Harissa (Seite 201). In Mexiko ist Kreuzkümmel ein Standardgewürz für Tacos, Enchiladas, Burritos und Eintöpfe. In Schmortöpfen wie marokkanischen Tajines wird Kreuzkümmel mit Kurkuma (Seite 86), Zimt (Seite 68) und Paprika (Seite 52) kombiniert. In Europa hat er in holländischem Käse mit Kuminaroma, deutschen Essiggurken und portugiesischen Schweinswürsten seinen großen Auftritt. Man verwende ihn sparsam, aber häufig – Experimentieren lohnt sich! Durch leichtes Anrösten entfaltet Kreuzkümmel sein volles Aroma.

Curcuma longa

Kurkuma

Als krautige, mehrjährige Staude – im Südwesten Indiens beheimatet und Teil der Ingwerfamilie – kann Kurkuma bis zu einem Meter hoch wachsen, während sich der Wurzelstock in der Erde waagerecht ausbreitet.

PASST ZU
Bohnen, Linsen, Reis, Zwiebeln, Auberginen, Spinat, Tomaten, Kartoffeln, Blumenkohl, Wurzelgemüse, Eiern, Fisch, Lamm, Rind, Schwein, Geflügel, Senf, Ingwer

PROBIEREN
Blumenkohlröschen in reichlich Ölmarinade mit Kurkuma, Kreuzkümmel und Chiliflocken schwenken, dann im heißen Ofen weich garen. Mit Korianderblättchen bestreuen und servieren.

HERKUNFT
Südasien

ABBILDUNG LV
Indisch Nr. 7
In Indien zum Einfärben von Textilien und für religiöse Zeremonien verwendet, erinnern die Sari-Printmuster farblich an Kurkuma.

DIESER GROBWARZIGE SAFRANWURZ wird in Dörröfen getrocknet und zu einem grellorangefarbenen bis gelben Pulver gemahlen; allerdings kann er auch genauso gut wie die Ingwerwurzel frisch verwendet werden. Die Kurkuma (oder Gelbwurz) dient seit Langem als Färbemittel für Textilien und Speisen und hat in Indien und anderswo in Asien religiöse Bedeutung. In der Mythologie der alttamilischen Religion zum Beispiel wird ihre sattgelbe Farbe mit der Sonne oder dem Gott Vishnu assoziiert. Beim tamilischen Pongal-Fest wird als Dank an den Sonnengott Surya eine ganze Kurkuma als Opfergabe dargebracht. Im mittelalterlichen Europa sprach man bisweilen von »indischem Safran«, weil Kurkuma als Ersatz für den teureren Safran verwendet wurde. Zwar lieferte sie die gewünschte Farbe, jedoch kann sie mit dem unverwechselbaren Safranduft nicht mithalten.

Bitter, mit Anklängen von Ingwer, aromatisch und erdig, ist Kurkuma das Basisgewürz für die meisten Currypulver. Bekanntermaßen verleiht sie auch dem *Piccalilli* (Senfgemüse aus England) seine grellgelbe Farbe. In Indien und Nepal wird Gemüse-, Fleisch-, Fisch- und Eiergerichten Kurkumapulver beigegeben. In Südafrika werden damit Reisgerichte zubereitet und in Kambodscha enthält die Würzpaste *Kroeung* im Amok-Curry ebenfalls Gelbwurz. In Indonesien kommt Kurkuma in scharfen Currys mit Rindfleisch wie *Rendang* und in der Padang-Küche als Bestandteil der gelben Sataysauce zum Einsatz. Obwohl es meist in herzhaften Speisen vorkommt, findet das Gewürz auch seine Verwendung in Süßspeisen, wie etwa in dem libanesischen *Sfouf* (Grießkuchen mit Mandeln) und im südafrikanischen Wintercocktail *Hot Toddy* mit Whiskey und Honig.

Die Kurkuma enthält Curcumin, ein ätherisches Öl, das in vielerlei Hinsicht gesundheitsfördernd sein soll. In Asien wird der

ABBILDUNG LII
Indisch Nr. 4
Kurkumafelder

Wurzelstock seit Jahrtausenden therapeutisch genutzt und spielt in der Siddha-Medizin eine wichtige Rolle. Kurkuma wird auch von Hakims – traditionellen indischen Heilern – im Rahmen des alten Ayurvedakonzepts verwendet und soll Blutkreislauf, Verdauung und Cholesterinhaushalt unterstützen. Außerdem dient das Heilgewürz

aufgrund seiner antibakteriellen, entzündungshemmenden und antioxidativen Wirkung als Hausmittel bei Magen- und Leberbeschwerden und Wundheilung. Europäische Kräuterkenner empfehlen Gelbwurz seit Langem zur Behandlung von Arthritis, Asthma, Schuppenflechte, Darmbeschwerden und Durchblutungsstörungen.

Curcuma zedoaria

Zitwer

Als immergrüne Pflanze, die in subtropischen Waldgebieten gedeiht, ist Zitwer in seinem moschusartigen, leicht bitteren Geschmack mit Ingwer vergleichbar.

PASST ZU
Reis, Bohnen, Kokosmilch, Ingwer, Kurkuma, Knoblauch, Zitronengras, Fisch, Meeresfrüchten, Hähnchen, Schwein, grünem Gemüse

PROBIEREN
Gemahlenen oder fein geschnittenen Zitwer Fleisch- oder Geflügelmarinaden nach chinesischer Art beimischen.

HERKUNFT
Südostasien

ABBILDUNG LV
Chinesisch Nr. 2
Es gibt so viele Verwendungsmöglichkeiten und Erscheinungsformen von Zitwer – von der Wurzel bis zu den Blättern und farbenprächtigen Blüten –, dass ein einziges Muster unzureichend zu sein schien. Diese Kombination versucht, die Pfanze allumfassend darzustellen.

IN SÜDOSTASIEN ANGEBAUT und an den Berghängen des südlichen und nordöstlichen Bangladesch wachsend, trägt die Zitwerpflanze leuchtend gelbe Blüten mit rot-grünen Brakteen (Knospendeckblätter) und würzige Blätter mit anhaltendem Aroma, das an Zitronengras erinnert. Die frischen, gelben Zitwerwurzelstöcke brauchen zwei Jahre, bis sie voll ausgereift sind. Sie werden entweder frisch verwertet oder gekocht, in Scheiben geschnitten und gedörrt.

Die getrockneten Stücke sind gräulich-braun und weisen eine raue, etwas zottelige Textur auf. Das Gewürz riecht nach einer Kreuzung aus Kurkuma und Mango: Einer seiner indischen Namen lautet *amb halad* und bedeutet »Mango-Ingwer«. *Curcuma zedoaria* ist stummeliger als die eng verwandte, mildere *Curcuma zerumbet*, auch als weiße Kurkuma bekannt. Andere verwandte Arten, die *Curcuma leucorrhiza* und *Curcuma angustifolia*, werden – ganz wie Pfeilwurz – als Dickungsmittel verwendet, denn die Stärke, in Indien *shoti* genannt, ist leicht verdaulich.

Obwohl Zitwerwurzel als Gewürz heute überraschenderweise kaum mehr verwendet wird, findet man es in Thai-Salaten, indonesischen Hackbällchen und indischen Gewürzgurken; auch der Mumbai-Bohneneintopf mit Möhren und Erbsen wird damit gewürzt. Getrocknete Zitwerwurzel kann Currys beigegeben werden, die außerdem nach trockener Kurkuma- und Ingwerknolle verlangen. Eine Mischung aus frisch gehacktem Zitwer mit Schalotten, Zitronengras und Korianderblättern ergibt eine gute Würzpaste für in Kokosmilch gegartes Gemüse. Die Wurzel ist auch eine Basiszutat im alkoholischen Schwedenbitter.

Dipteryx odorata

Tonkabohne

Die nach Vanille duftenden, süßlichen Tonkabohnen – in Französisch-Guayana tonquin *(Bohne) genannt – bringen ein unverwechselbar fruchtiges und berauschend blumiges Element am süßen Ende der Gewürzpalette ins Spiel.*

PASST ZU
Hähnchen, Fisch, Meeresfrüchten, Knollensellerie, Tomaten, Reis, Erdbeeren, Äpfeln, Aprikosen, Mangos, Rhabarber, Schokolade, Kaffee, Vanille, Safran, Zimt, Sahne

PROBIEREN
Vor dem Servieren Tonkabohne über Jakobsmuscheln oder in zerstampftes Wurzelgemüse reiben; zum Aromatisieren von Vanillepudding oder Pannacotta verwenden – etwas Tonka direkt in die Sahne reiben oder eine ganze Bohne in der Sahne ziehen lassen; oder einfach eine Tonkabohne – ähnlich wie eine Vanilleschote – in einer Zuckerdose durchziehen lassen.

HERKUNFT
Mittelamerika und nördliches Südamerika

ABBILDUNG I
Wilde Stämme Nr. 1
Tonkafieber als Designmuster dargestellt (gegenüber und umseitig).

TONKABOHNEN SIND DIE Samen des blühenden Cumarú-Baums, der ursprünglich in Mittelamerika und im nördlichen Südamerika beheimatet war. In der Sprache der Galibi, einem Naturvolk in Französisch-Guayana, bezeichnet *tonka* eben diesen Baum. Sein lateinischer Name *Dipteryx* bedeutet »doppelt geflügelt«, wie die Form der Früchte. Wenn sie nicht von Fledermäusen gefressen werden, werden die Fruchtkerne ausgelöst, getrocknet und nach 24-stündigem Einweichen in Rum erneut gedörrt. Die getrocknete Bohne ist schrumpelig, schwarz und mandelförmig und ähnelt einer länglich-holzigen Rosine. Sie enthält Cumaringlycoside, die ihr einen hypnotischen Duft mit Anklängen von süßlich-trockenem Heu und stark riechender Möbelpolitur verleihen. Cumarin kann die Leber angreifen (in Nordamerika ist die Tonkabohne daher verboten); allerdings gelten geringe Mengen beim Kochen als unbedenklich. Heute werden Tonkabohnen hauptsächlich aus Nigeria und Venezuela bezogen.

Einst wurde die Tonkabohne als Aromastoff für Pfeifentabak und als Duftstoff in der Parfümherstellung verwendet. Heute ist sie hauptsächlich eine kulinarische Zutat; indes behält sie aufgrund von Vergiftungsrisiken als Gewürz einen Außenseiterstatus. Die Bohnen können wie Muskatnuss in Nachspeisen, Dessertcremes, Kuchen und Kekse gerieben werden. Es reicht schon eine kleine Menge, denn sie hat einen sehr lang anhaltenden Geschmack. Ihr schweres, süßes Aroma macht sie zu einem Gewürz, das gut zu Vanille, Zimt und Safran passt. Auch kann sie sparsam verwendet zum Würzen von Hähnchenfleisch und Fisch genommen werden. In Frankreich ist man voll im Tonkafieber (auf Französisch *la fièvre tonka*) – wobei es sich hier um ein dankbares Wortspiel handelt, denn *la fève tonka* ist der französische Begriff für »Tonkabohne«.

Elettaria cardamomum

Grüner Kardamom

Kardamom – verführerisch, würzig duftend und stark erwärmend – soll in König Nebukadnezars Hängenden Gärten von Babylon gediehen sein.

PASST ZU
Äpfeln, Mangos, Birnen, Rhabarber, Orangen, Zitronen, Limetten, Süßkartoffeln, Möhren, Hähnchen, Lamm, Ente, Reis, Mandeln, Safran, Ingwer, Zimt, Rose, Kaffee, Schokolade, Sahne, Joghurt

PROBIEREN
Für einen Mango-Lassi in einem Mixer reifes Mangofruchtmark zusammen mit halb so viel Vollmilchjoghurt, 1 Handvoll Eiswürfeln und 1 Spritzer Limettensaft fein pürieren; bei Bedarf mit etwas Milch oder Wasser verdünnen, dann mit Zucker und ein paar frisch gemahlenen Kardamomsamen abschmecken.

HERKUNFT
Südindien und Sri Lanka

ABBILDUNG I
Indisch Nr. 2
Zartgrüne Kapseln voller leuchtkäferähnlicher Kerne, die sich zur Reifezeit schwarz verfärben (gegenüber und umseitig).

Ein Gewürz für Königinnen und Könige! Nach Safran und Vanille das drittteuerste Gewürz der Welt. Im Mittelalter kostete eine Handvoll Kardamomkapseln so viel wie der Jahreslohn eines armen Mannes. Das Gewürz war wohl schon im 4. Jahrhundert vor Christus in Griechenland als *amomon* oder *kardamomom* bekannt und in Indien wird es seit über 2000 Jahren verwendet. Grüner Kardamom, auch Blatt-Kardamom genannt, kam mit Gewürzkarawanen nach Kontinentaleuropa, und mit den Wikingern gelangte er von Konstantinopel nach Skandinavien. Indien ist heute der weltweit größte Erzeuger, gefolgt von Guatemala, Papua-Neuguinea, Sri Lanka und Tansania.

Die laternenähnliche Kardamomkapsel ist die gedörrte Frucht einer mehrjährigen Staude namens *Elettaria cardamomum*, die zur Familie der Ingwergewächse gehört. Sie wächst in den Regenwäldern der Westghats in Südindien. Die Pflanze bildet lange Triebe aus, die aus einem Wurzelstock in der Erde emporschießen. Ihr Gewirr an leuchtend grünen Früchten (künftige Trockenschoten) durchwabern den Wald mit ihrem betörenden Kardamomduft. Zur Reifezeit werden die klebrig-weißen Samen braun bis schwarz und es entfalten sich dabei die verschiedenen Aromen, die wir mit Kardamom verbinden: Komponenten von Sassafras (Nelkenzimt), Piment, Eukalyptus und Pfeffer. In den Samen stecken nicht weniger als 25 ätherische Öle, darunter die Inhaltsstoffe Terpinen, Limonen und das antioxidanzienreiche Cineol (Eucalyptol), die Kardamom ein intensives Aroma verleihen. Die dreikantigen, ovalen Kapselfrüchte werden kurz vor Vollreife gepflückt und dann gedörrt, bis sie hart und grün sind.

Teils streng und rauchig im Geschmack, teils mild, zitronig und blumig, ist grüner Kardamom eine wunderbare Zutat für süße

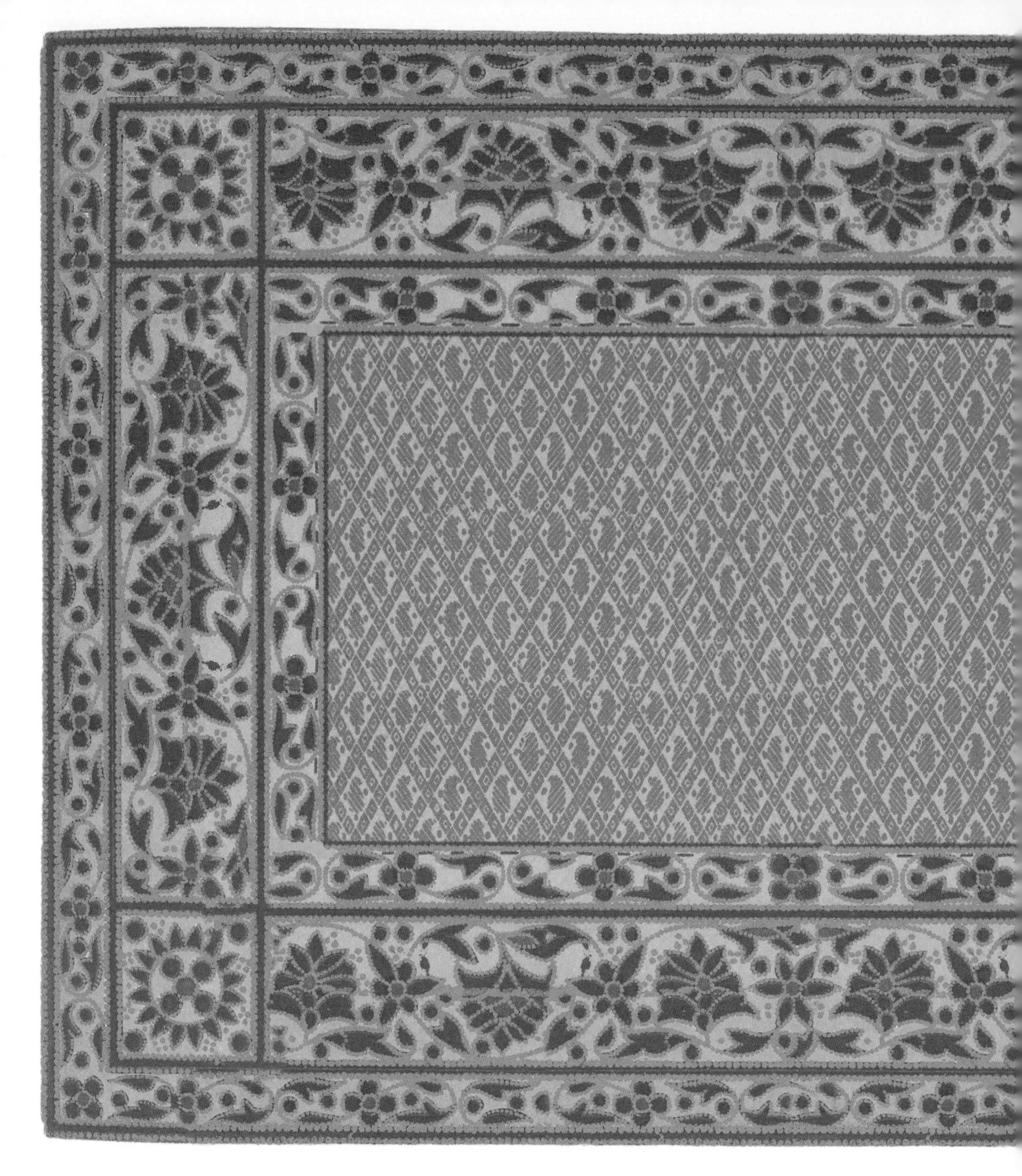

und herzhafte Speisen. In der Küche Indiens und Sri Lankas spielt er eine wichtige Rolle: in Pilaws, wo er typischerweise zusammen mit Zimtstangen, Gewürznelken, Kreuzkümmelsamen und schwarzen Pfefferkörnern verwendet wird; in Kormas und Biryanis; in Chai-Tee von *chai wallahs* (Teeköchen) mit mobilem Teestand im Straßenverkauf. Manchmal werden einige Kapseln zum Aromatisieren im Reis mitgekocht. Kardamom wird auch in Gewürzmischungen verwendet, so etwa für das iranische Advieh (Seite 192), das nordafrikanische Ras el-Hanout (Seite 207), das orientalische Baharat (Seite 193) und das äthiopische Berbere (Seite 194). In

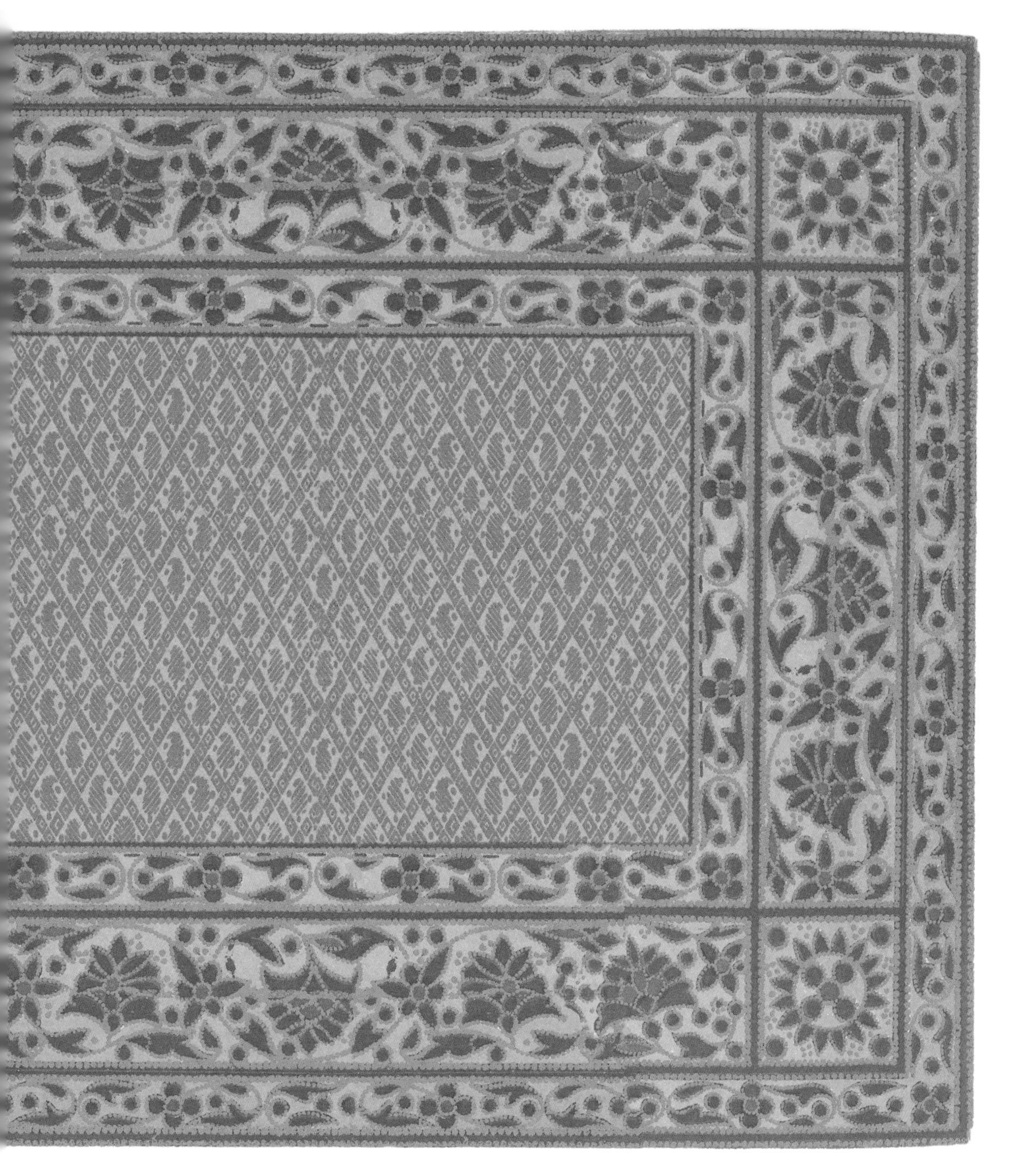

arabischen Ländern werden die Kapseln in die Ausgussöffnung von Kaffeekannen gesteckt, um die heiße Flüssigkeit beim Eingießen in die Tasse zu aromatisieren. Seine blumige Note macht Kardamom zu einer beliebten Zutat für Nachspeisen wie indische *Kulfi* (Eiscreme) und *Shrikhand* (abgetropfter Joghurt). In der skandinavischen Küche ist er – den Wikingern sei Dank – eine gängige Backzutat und wird auch zum Aromatisieren von Aquavit-Spirituosen und sogar von Hackbällchen verwendet. *Kardemummabullar* (Kardamom-Teilchen) werden zur schwedischen Fika genossen, einer Kaffeepause im Freundes- oder Kollegenkreis.

Ferula species

Asant

Es liegt auf der Hand, dass wir hier sehr verschiedene Arten von Gerüchen haben – vom Veilchen- und Rosenduft bis hin zu Asant.

Alexander Graham Bell, Rede vor einer Abschlussklasse an der Friends' School (1914)

PASST ZU
Fisch, Fleisch, Bohnen, Linsen, Getreide, Möhren, Zwiebeln, Minze, Koriander

PROBIEREN
Zum Aromatisieren einer Gurken-Raita (Joghurt-Kaltschale) ein paar Senfkörner und/oder Kreuzkümmelsamen mit 1 Prise Asant in etwas Öl brutzeln; dann diese Mischung über die Raita gießen und gut verrühren.

HERKUNFT
Zentralasien

ABBILDUNG XIII
Ninive & Persisch Nr. 2
Blumige Medaillons wie gehärteter Pflanzensaft mit starkem Aroma – eine Geschmacksexplosion!

Auch als *hing* bekannt (mit langem Vokal wie »hieng« gesprochen), ist Asant ein getrocknetes Gummiharz, das von drei *Ferula*- bzw. Riesenfenchelarten abstammt: *Ferula asafoetida* (daher auch der Name Asant), *Ferula foetida* und *Ferula narthex*. Diese mehrjährigen Pflanzen aus der Familie der Doldenblütler sind in Zentralasien beheimatet. Ihre karottenähnlichen Wurzeln sind wuchtig und dickfleischig. Durch das Schaben geben sie einen weißen Milchsaft (Latex) ab. Bei Luftkontakt erhärtet sich der Pflanzensaft zu einer dunklen, rötlich-braunen Masse. Für ein Maximum an Aroma wird während des gesamten Prozesses Sonnenlicht vermieden.

Asant gibt es in dreierlei Formen: als kleine, individuelle »Tränen«, als »Klumpen« (Harztränen, die sich zu größeren Stückchen verklebt haben) und als Pulver. Ganze Körnchen sind geruchsneutral. Wird Asant jedoch zermörsert, verbreitet das feste Harz einen starken Geruch, der unangenehm an Schweiß erinnert. Nicht umsonst nennen ihn die Franzosen *merde du diable* (»Teufelsdreck«). Wird er in der Pfanne mit Öl oder Ghee angeschwitzt, entsteht schon bei einer winzigen Menge der Duft von gebratenen Zwiebeln oder Knoblauch – daher wird er auch häufig in indischen Currys, Suppen, Pickles, Relishes und Saucen verwendet, aber auch für würzige Snacks wie *Pakora* (Frittiertes) und *Kachori* (Linsenbällchen). Dieses Gewürz spielt eine besonders wichtige Rolle in der Jain-Gemeinde und für Mitglieder bestimmter hinduistischer Glaubensgruppen, die weder Zwiebeln noch Knoblauch essen dürfen. Asant eignet sich hervorragend für Fischgerichte sowie für Bohnen und Linsen. In dem römischen Kochbuch *De re coquinaria* wird Asant mit folgendem Tipp für die Leserschaft kommentiert: ein kleines Stückchen in einem Gefäß mit Pinienkernen aufbewahren, dann die aromatisierten Nüsse zerkleinern und nach Belieben Speisen beigeben.

Foeniculum vulgare

Fenchelsamen

Fenchelsamen sind aromatischer als die Blätter, weniger würzig als Dillsamen und schmecken im Abgang angenehm bittersüß.

PASST ZU
Bohnen, Schwein, Lamm, Rind, Ente, Fisch, Meeresfrüchten, Roten Beten, Kohl, Gurken, Artischocken, Zucchini, Lauch, Kartoffeln, Tomaten, Linsen, Käse

PROBIEREN
Hackbällchen oder Fleischkäse Fenchelsamen beigeben; zum Pochieren ganzer Fische den Sud mit Fenchelsamen aromatisieren oder einem mediterranen Fischragout ein paar Samen beigeben; zermörserte Fenchelsamen mit Knoblauch, rotem Chilipulver oder -flocken und Zitronenschale oder -saft anbraten und über weiße Krabben und Petersilien-Linguine gießen.

HERKUNFT
Südeuropa

ABBILDUNG VIII
Ägyptisch Nr. 5
Samenförmige Muster und kräftige Farben sind so stark wie die Aromaintensität.

BEHEIMATET IN SÜDEUROPA, wachsen Fenchelstauden auch im Mittleren Osten, in der Türkei, in Indien und China. Diese großen, krautigen Gewächse können bis zu zwei Meter hoch werden; sie tragen Dolden mit vielen winzigen Blüten und filigrane, gefiederte Blätter. Die Samen sehen wie Kreuzkümmelsaat aus, obwohl sie grüner sind und ein erwärmendes, süßlich-erdiges Aroma haben. Gewürzfenchel enthält Anethol, eine organische Substanz, die dem Fenchel seinen anisähnlichen Geschmack verleiht. Anethol befindet sich auch in Süßholz; allerdings sind die zwei Gewürze nicht miteinander verwandt.

Fenchelsamen sind gute Begleiter für Fisch, Käse und Gemüse und werden Suppen, Currys, Pickles, Broten, Keksen und Kuchen beigegeben. Sie wurden auch häufig in der römischen Küche verwendet, insbesondere in Saucen für Wildschwein und Hirsch. Heute werden sie in der italienischen Küche zum Würzen von Luganega-Würsten und Salamis nach Florentiner Rezept verwendet, oder auch in salzigen Rubs zum Marinieren von Kalbsschnitzeln sowie zum Abschmecken von Eintöpfen. Herzhafte *Taralli* (kleine Keksringe) werden ebenfalls oft mit Fenchelsamen aromatisiert. In Indien sind sie häufig in einer *Tarka* vertreten: Ganze Gewürzsamen werden kurz in Öl oder Ghee angebraten, damit ihre ätherischen Öle freigesetzt werden. Erst direkt vor dem Servieren wird dann die Würzmasse über das Gericht gegossen. *Mukhwas*, eine Samenmischung mit Fenchel, werden oft nach indischen Mahlzeiten für frischen Atem gekaut. Intensiv duftende Fenchelpollen (manchmal mit Salz vermischt) dienen auch als moderner Geschmacksverstärker.

Garcinia indica

Kokum

Auch als Tamarinde, Mangostanfrucht und Rote Mangostane bekannt, ist Kokum die Frucht des herrlich dekorativen Kokumbaums.

PASST ZU
Auberginen, grünen Bohnen, Okraschoten, Kochbananen, Kartoffeln, Kürbis, Tomaten, Guaven, Granatäpfeln, Fisch, Meeresfrüchten, Linsen, Reis, Joghurt, Kokosnuss, Koriander

PROBIEREN
Für Kokum-Scharbat (persisch für »Saft«) Kokumsamen in etwas heißem Wasser garen, bis sie weich werden, dann fein pürieren und nach Belieben etwas gerösteten und gemahlenen Kreuzkümmel hinzufügen. Mit derselben Menge Zuckersirup vermischen. Auf viel Eis servieren, mit Sodawasser auffüllen und mit einem Zweig Minze dekorieren.

HERKUNFT
Indien

ABBILDUNG LI
Indisch Nr. 3
Muster, ausgewählt aufgrund derselben Herkunft und ihrer Ähnlichkeit mit aufgespaltenen Kokumfrüchten, die an der Sonne trocknen.

IMMERGRÜNE KOKUMBÄUME FINDEN sich in Wäldern, an Flussufern und auf Brachflächen von Karnataka über Goa und Nordmalabar im Südwesten Indiens über die Region Konkan (Westküste) sowie in den Jaintia-Bergen, in Westbengalen und Assam nahe der Grenze zu Bangladesch. Die Bäume liefern eine Überfülle an rötlichen, pflaumengroßen Früchten, die sich zur Reifezeit dunkelviolett verfärben. Nach ihrer Ernte im April werden sie zum Trocknen aufgespalten oder aber zum Ablösen der Haut von der Pulpe in Wasser eingeweicht, um dann an an der Sonne zu trocknen. Die gedörrte, ledrig anmutende Samenhülle heißt *aamsul*, also »säuerliche Haut«. Überraschenderweise fühlt sich Kokum angenehm weich an und riecht fruchtig-süß und erdig, wobei das adstringierende, süßlich-saure Aroma im Abgang lang anhaltend ist. In der westlichen Hautpflege ist man bereits mit Kokum vertraut: Kokumbutter (sie ist auch essbar und wird in der indischen Küche verwendet) ist in Feuchtigkeitscremes, Seifen und Spülungen enthalten.

Kokum kommt vorwiegend in der indischen Küche als Gewürz vor; allerdings stößt es in Nordamerika, Australien und im Mittleren Osten auf zunehmendes Interesse. Indische Currys und Dals werden durch das säuerliche Aroma geschmacklich verstärkt. In der Küche von Goa und in Teilen von Maharashtra, Karnataka, Gujarat und Südindien wird es als gängiges Säuerungsmittel verwendet. In Assam werden saures Fischcurry und Dal mit Kokum gewürzt. Oft wird es auch indischen Getränken zugesetzt; für das erfrischende *Kokum Saar* wird Kokum in Wasser eingeweicht, um es nach dem Abgießen mit frischem Ingwer und Koriander anzureichern; *Sol Kadhi* aus Kokum, Kokosmilch und Rohrzucker wird in Goa als Digestif getrunken.

Echtes Süßholz

Aus dem Griechischen für »Süßwurzel« abgeleitet, ist Lakritz, der Wurzelextrakt des Süßholzes, ein erwärmendes Gewürz, das so gut wie überall verwendet wird – von Tabak bis Zahnpasta und von Süßigkeiten bis zu Eintöpfen.

PASST ZU
Rind, Schwein, Ochsenschwanz, Ente, Wild, Meeresfrüchten, Fisch, Mandeln, Äpfeln, Bananen, Birnen, Pfirsichen, Orangen, Zitronen, Gewürznelken, Ingwer, Sternanis, Minze, Schokolade

PROBIEREN
Die Süßholzstangen zum Aromatisieren von Eintöpfen mit Rind- oder Schweinefleisch oder von Fonds verwenden; Lakritzeis mit Süßholzextrakt oder -pulver herstellen.

HERKUNFT
Nordchina, Russland, Südosteuropa

ABBILDUNG XI
Ägyptisch Nr. 8
Schwarze und rote Striche, die auf Süßholzstangen anspielen.

DIE SÜSSHOLZWURZEL WIRD seit über 2000 Jahren in China und seit fast halb so langer Zeit in Europa verwendet. Es gibt mehrere Varietäten: *Glycyrrhiza glabra* ist in Südosteuropa und Südwestasien beheimatet; *Glycyrrhiza glandulifera* stammt ursprünglich aus Russland und *Glycyrrhiza uralensis,* die chinesische Art (*gam chou*), wird hauptsächlich in Asien verwendet.

Süßhölzer sind ausdauernde, krautige Stauden mit hellgrünen, gefiederten Blättern und blauen bis zartvioletten erbsenförmigen Blüten. Sie erreichen eine Wuchshöhe von bis zu zwei Metern, während sich das Wurzelwerk im Erdreich waagerecht verzweigt. Die einzelnen bis zu einem Meter langen Wurzeln sind runzelig und fasrig-holzig, außen braun und innen gelb. Einmal ausgegraben, werden sie monatelang getrocknet, dann zu Pulpe zerkleinert und zu einer dicken Masse eingekocht, die als Süßholzextrakt bekannt ist. Das Süßholzaroma – erdig und anisähnlich mit bitter-salziger Note – kommt vom Anethol (Anisöl), seine Süße hingegen vom Glycyrrhizin – einem Inhaltsstoff, der 50 Mal süßer als Zucker ist. Einige der Süßholzkomponenten sind in ähnlich schmeckenden, jedoch nicht miteinander verwandten Gewürzen und Kräutern enthalten, u.a. in Anis, Sternanis, Fenchel, Kerbel, Süßdolde und Thai-Basilikum.

Süßholz ist als Lakritzpulver, -extrakt oder getrocknete Wurzel erhältlich. Gemahlen kann es dem Fünf-Gewürze-Pulver (Seite 197) beigemischt werden, mit dem in der chinesischen Küche verschiedenste Arten von Fleisch gewürzt werden, u.a. Rindfleisch, Schweinebacken, Schnecken, Wachteln und Oktopus. Getrocknetes Süßholz kann gekaut werden; wie die Forschung zeigt, enthält es pflanzliche Wirkstoffe, die im Mund Bakterien abtöten und in Blutgefäßen der Plaques-Bildung (Arteriosklerose) vorbeugen. Der pechschwarz glänzende Lakritzextrakt wird in Süßigkeiten verwendet. Zunächst

ABBILDUNG XXX
Byzantinisch Nr. 3
Byzantinische Ornamentik zur Darstellung aller Arten von Süßholz.

mit Gelatine, Zucker, Mehl und Wasser vermischt, wird er dann in eine Vielfalt von Formen gegossen, u.a. in lange, dünne Rundstäbe (Lakritzstangen), münzähnliche Scheiben (Taler) und Lakritzschnüre. Die traditionellen *Pontefract Cakes* sind glänzend schwarze Lakritztaler mit Eule und Burg, die innerhalb des geschwungenen Schriftzugs des Produktnamens eingeprägt sind. Ursprünglich wurden sie

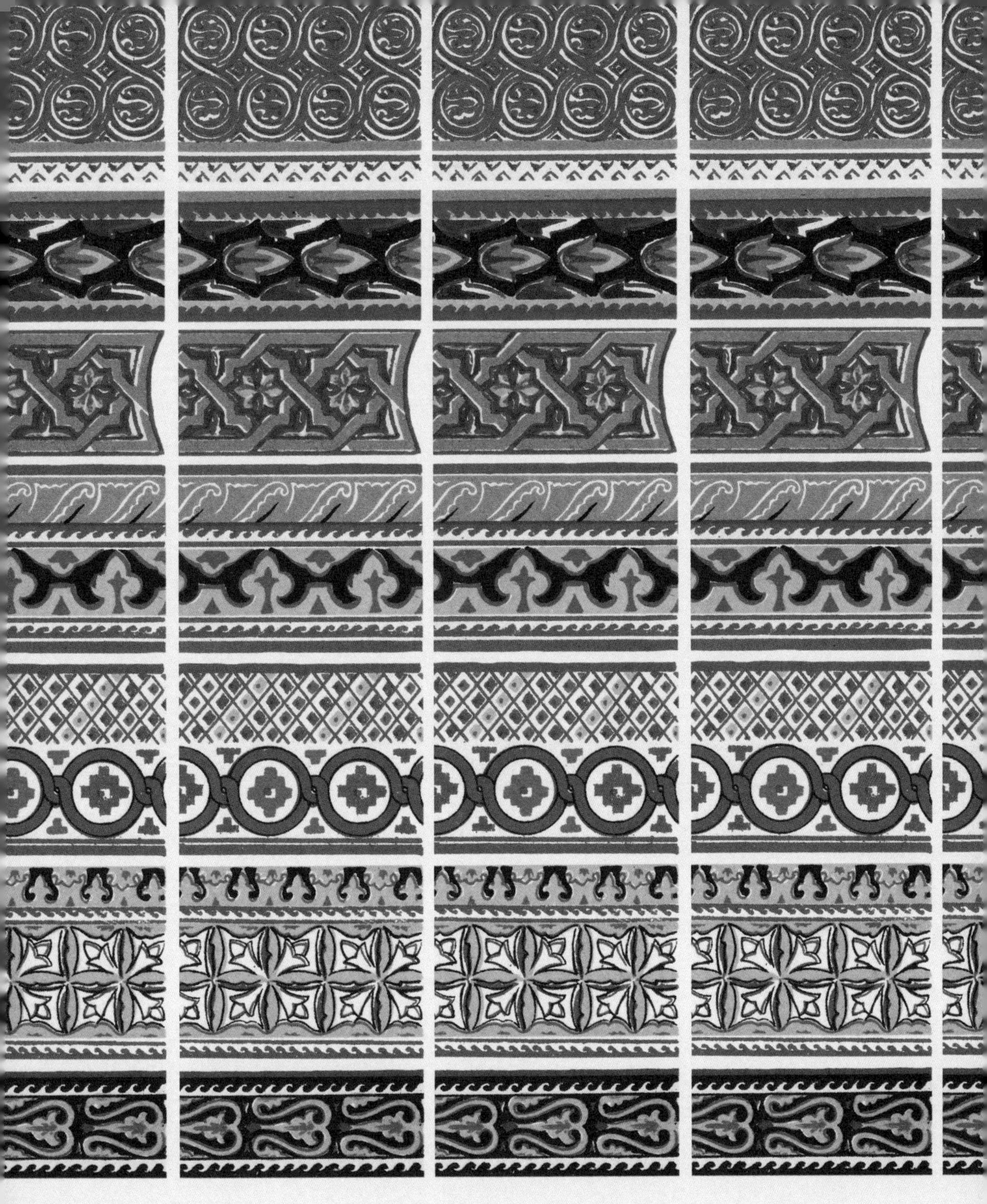

von Mönchen in dem Städtchen Pontefract, einem Zentrum der Süßholzproduktion im englischen Yorkshire, als Heilmittel hergestellt. In nordischen Ländern werden salziges Süßholz oder *Salmiakki* (Lakritzkugeln mit Schokolade) mit Salmiak versetzt und als weiches, hartes oder bröckeliges Naschwerk verzehrt oder zum Aromatisieren von Eis und Alkohol verwendet.

Heracleum persicum

Golpar

Auch als Persischer Bärenklau bekannt, ist Golpar eine wild wachsende, blühende Gewürzstaude der Gebirgsregionen Irans.

PASST ZU
Rind, Lamm, Schwein, Hähnchen, Reis, Linsen, Pilzen, Dicken Bohnen, Gurken, Kartoffeln, Tomaten, Granatäpfeln

PROBIEREN
Linsen mit angebratener Zwiebel und Kurkuma garen und zum Schluss etwas Golpar und Zimt darüberstreuen.

HERKUNFT
Iran

ABBILDUNG XLIV
Persisch Nr. 1
Dieses Muster aus Persien spielt auf Samenhülsen und »Blütenflügel« an.

DER NAME LEITET sich ab aus dem persischen Farsi für »der Flügel einer Blüte«. Die schmalen Samenkapseln sind kräftig, aromatisch, holzig und leicht bitter im Geschmack. Manchmal fälschlicherweise als *Angelica* (Engelwurz) bezeichnet, können sie gemahlen über Dicke Bohnen, Pilze, Gurken, Kartoffeln, Linseneintöpfe, Suppen, Tomatensaucen und Fleischgerichte gestreut werden. Die ganzen Hülsen werden *Pickles* (Sauerkonserven) zugesetzt. Golpar wird oft mit Früchten wie Granatapfel oder sauren Pflaumen kombiniert und kann mit Essig in Salatdressings verwendet werden. Die Samen wie auch die Blütenblätter können der Gewürzmischung Advieh (Seite 192) beigefügt werden. Ebenso können die Blätter und Stängel süß-sauer eingelegt werden.

Golpar wird in formlosen persischen Ritualen verwendet; dazu werden die Samenkapseln in eine mit glühender Holzkohle gefüllte Metallschale gelegt und es wird – während die heiße Schale über Kopf weitergereicht wird – ein spezieller Vers aufgesagt. In der iranischen Volksmedizin kommt Golpar als Hausmittel gegen Magenbeschwerden und Blähungen zum Einsatz.

Illicium verum

Sternanis

Es ist leicht erkennbar, warum diese herrlich sternförmige, aromatische Frucht den lateinischen Namen illicium *(Verlockung) trägt.*

PASST ZU
Schwein, Rind, Hähnchen, Fisch, Meeresfrüchten, Ochsenschwanz, Süßkartoffeln, Kürbis, Lauch, Fenchel, Pastinaken, Möhren, Pflaumen, Pfirsichen, Birnen, Äpfeln, Bananen, Melonen, Feigen, Ananas, Rhabarber, Kirschen, Zimt, Basilikum, Zitronen, Orangen, Ingwer, Vanille, Schokolade

PROBIEREN
Hähnchenfleisch in einem Sud mit ganzem Sternanis, frischen Ingwerstückchen und 1 oder 2 Zimtstangen pochieren; beim Backen von Ingwer- oder Schokokuchen oder -keksen gemahlenen Sternanis beigeben; gemahlenen Sternanis zum Aromatisieren von Pflaumen- oder Feigenkonfitüre oder für einen Obstcrumble verwenden.

HERKUNFT
Südwestchina und Vietnam

ABBILDUNG LXI
Chinesisch Nr. 3
Sternanis spielt in diseem Muster eindeutig die Hauptrolle.

DER SCHLANKE, IMMERGRÜNE Sternanisbaum, ursprünglich aus Südwestchina und Nordostvietnam stammend, wird seit über 400 Jahren angebaut und ist heute auch in Indien, Laos, Korea, Japan, Taiwan, Kambodscha und auf den Philippinen zu finden. Die kleinen sternförmigen, getrockneten Früchte bestehen aus acht rötlich-braunen, ledrigen Karpellen bzw. Samenhülsen, die karamellfarben glänzende Kerne enthalten. Sein fenchelähnliches Aroma verdankt dieses Gewürz den Karpellen. Der Inhaltsstoff Anethol findet sich auch in Anis und Süßholz, die gleichwohl vollmundige und leicht süßliche Kräuternoten haben.

Ausgeprägt warm, ist Sternanis kräftig im Aroma, süß im Geschmack und hat Anklänge von Estragon. In China wird er als Geflügelgewürz verwendet und ist Bestandteil des Fünf-Gewürze-Pulvers (Seite 197), mit dem gehaltvolles Enten- und Schweinefleisch mariniert wird. Sternanis findet man auch in der vietnamesischen *Pho* (Nudelsuppe mit Rindfleisch). In Indien wird er in Biryanis und oft auch in Garam Masala (Seite 200) oder in Chai-Tee verwendet. Seine Süße passt wunderbar zu Gemüse mit süßlicher Geschmacksnote wie etwa Lauch, Süßkartoffel, Fenchel und Kürbis. Aus demselben Grund ist Sternanis auch für Birnen, Feigen und Südfrüchte geradezu ideal. In Europa beschränkt sich seine Verwendung meist auf Kräuterliköre, Sirups, Eistees, Konfekt und Spirituosen wie Pastis.

Juniperus communis

Wacholder

Wacholder, die Basiszutat für Gin, verleiht der Spirituose auch ihren Namen; »Gin« ist eine Abkürzung für Geneva, was sich wiederum von Jenever (holländisch für »Wacholder«) ableitet.

PASST ZU
Wild, Rind, Ente, Gans, Schwein, Lamm, fettem Fisch, Kohl, Zwiebeln, Kartoffeln, Zitronen, Pflaumen, Schokolade

PROBIEREN
Ein paar zermörserte Wacholderbeeren in ein Kartoffelgratin geben; mit Olivenöl, Knoblauch und zermörserten Wacholderbeeren eine Marinade für Lammfleisch zubereiten; Rotkohl mit Wacholder, Knoblauch, Apfelstückchen und Butter sowie ein paar EL Rotweinessig und braunem Zucker (jeweils zu gleich großen Mengen) schmoren.

ABBILDUNG LXIX
Mittelalterlich (Buntglas)
Dieses Muster ist wie die blauschwarze Farbe von Wacholderbeeren mit den darin verborgenen, harzigen Aromen.

WACHOLDER WÄCHST ALS Staude oder kleines Gehölz in kalkhaltigen Hügellandschaften, vor allem im Mittelmeerraum, aber auch in der Arktis und in Nordamerika. Getrocknete Wacholderbeeren sind womöglich das einzige Gewürz, das von Koniferen abstammt. Die alten Römer verwendeten sie für würzige Pfeffermischungen, im Mittelalter wurden sie zur Luftreinigung verräuchert und ab dem 17. Jahrhundert wurden sie in Großbritannien zu »Mutters Ruin« destilliert – so hieß Gin damals im Volksmund. Als Säugling soll Jesus vor Herodes' Leuten in einer Wacholderhecke versteckt worden sein, weswegen das Gewürz nach wie vor mit Zuflucht und Sicherheit assoziiert wird.

Wacholderbeeren werden im Spätsommer geerntet und können frisch oder getrocknet verwendet werden. Das Aroma der gedörrten Wacholderbeeren ist sauber, frisch und ziemlich süß mit einem kiefernähnlichen, harzigen Beigeschmack und Zitrusnoten. In der Regel werden sie direkt vor Gebrauch leicht zermörsert, damit ihre Öle freigesetzt werden. Als Küchengewürz wird Wacholder für Marinaden und Fleischgerichte verwendet. Er passt besonders gut zu Wild- und Kalbfleisch; in Skandinavien lässt er sich mit Delikatessfleisch wie Elch, Rentier oder Amsel kombinieren. Auch findet man Wacholderbeeren in Sauerkraut, einer typisch deutschen Beilage mit Nationalgerichtcharakter. Mit Wacholder wird auch das finnische *Sahti*, ein dunkles Urbräu, aromatisiert. Die deutliche Adstringenz des Koniferengewürzes sticht in Kartoffeln, Zwiebeln und in fettem Fisch klar hervor, es wird allerdings nicht so oft mit diesen Lebensmitteln kombiniert. Seine dezente Süße macht sich indes auch in Fruchtpuddings und Kuchen ganz gut, vor allem in Apfelkuchen.

Mangifera indica

Mango

Die Mangos werden als unreifes Fallobst halbwilder Mangobäume geschält und gedörrt, ehe sie in Stücke geschnitten oder zu feinem Pulver gemahlen werden, um dieses Säuerungsmittel mit interessant süß-saurer Note herzustellen.

PASST ZU
Blumenkohl, Auberginen, Okraschoten, Kartoffeln, Bohnen, Reis, Linsen, Fisch, Geflügel

PROBIEREN
Zum Panieren von Fisch oder Hähnchen bzw. vor dem Backen oder Grillen Mangopulver mit Panko-Paniermehl vermischen; vor dem Servieren über Linsensuppen und -eintöpfe streuen; als natürlichen Emulgator Fisch- und Geflügelmarinaden beigeben.

HERKUNFT
Indien, Südostasien

ABBILDUNG LV
Indisch Nr. 7
Die gelb-grün-roten Mangofrüchte, verstärkt durch kontrastierendes Kobaltblau.

MANGOBÄUME KÖNNEN EINE Wuchshöhe von bis zu 40 Metern erreichen und nach 300 Jahren immer noch Früchte tragen. Als »Königin der asiatischen Früchte« reicht die Geschichte der Mango Jahrtausende zurück; ihren Anfang nahm sie in Indien und Südostasien, dann wurden die Bäume auch in Ostafrika, Brasilien, Westindien und Mexiko angebaut. Indien und China sind heute die führenden Lieferanten. Die Mango ist eine Steinfrucht (mit einem Kern, der von viel Fruchtmark umhüllt wird) in unterschiedlicher Größe und Form. Ebenso variiert ihre Farbe zwischen grün, gelb und rot.

Das Mangogewürz – in Stückchen oder in Pulverform – wird klassischerweise aus getrockneten, unreifen (grünen) Mangos hergestellt. Getrocknete Mangostreifen sind hellbraun und erinnern an eine Baumrinde; das gängigere, leicht klumpige Pulver ist hellbeige. In beiden Formen verwendet, ist Mango ein fruchtiges Gewürz mit honigähnlichem Duft; in seinem Säuerungseffekt ist es vergleichbar mit Zitruswürze oder Tamarinde (Seite 162) und passt zu Currys, Suppen und Saucen. Ein Teelöffel Mango soll in etwa drei Esslöffeln Zitronensaft entsprechen. In Indien verleiht es Gemüseeintöpfen, Pakoras und Samosas sowie Dals, Chutneys und Fruchtsalaten eine angenehm säuerliche Note.

Murraya koenigii

Indisches Curryblatt

Die dunkelgrün glänzenden Blätter des Currybaums sind schlank und spitz; vorwiegend werden sie in den Landesküchen Indiens und Sri Lankas verwendet.

PASST ZU
Bohnen, Linsen, Kokosnuss, Ingwer, Knoblauch, Senfkörnern, Peperoni, Koriander, Reis, Kohl, Blumenkohl, Kartoffeln, Okraschoten, Auberginen, Fisch, Lamm, Rind, Hähnchen

PROBIEREN
Frische Curryblätter in Öl anschwitzen und dann zum Aromatisieren in eine Erbsen- oder Möhrensuppe geben.

HERKUNFT
Indien, Sri Lanka

ABBILDUNG LV
Indisch Nr. 7
Dieses Muster ist eine Kombination aus dem Dunkelgrün der Curryblätter und den warmen Rosa- und Goldtönen der typisch indischen Ornamentik.

Um die 20 Fiederblättchen wachsen an jedem dünnen Zweig des kleinen Currybaums, der zur Gruppe der Rautengewächse (*Rutaceae*) gehört. In den Hausgärten Indiens, Sri Lankas und in manchen Regionen Thailands sind diese Bäume ein vertrautes Bild. Die Namen der Blätter variieren, mal spricht man von den süßen Blättern des Neembaums, mal von *kadipatta* (indisch für »Curryblätter«). Obwohl sie kleiner und schmaler sind, ähneln sie fast Lorbeerblättern und bieten auch eine ganz gute Geschmacksalternative. Das nussige, intensiv nach Moschus duftende Aroma geht einher mit einer leicht bitteren Geschmacksnote, die Anklänge von Zitrone und Mandarine hat.

Essenziell für viele indische Küchenklassiker, u.a. für Dals, Samosas, Sambars, Kebabs, Chutneys und Brote, sind Curryblätter natürlich auch in südindischem Currypulver enthalten. Sie können zu Kochbeginn in Öl angebraten oder aber einige Minuten vor dem Fertiggaren in das Gericht gegeben werden. In Gujarat werden Curryblätter auch häufig für Gemüsegerichte verwendet. Eine zentrale Rolle spielen Curryblätter bei der indischen Temperiermethode: Dabei werden sie zusammen mit braunen Senfkörnern (Seite 42) und Asant (Seite 98) so lange in einer Pfanne in Öl gebraten, bis sich ein herrliches Aroma entfaltet; das so gewonnene *Tarka* wird dann über das Curry gegossen. Getrocknete Curryblätter – obwohl fast überall erhältlich – haben ein viel schwächeres Aroma. Frische Blätter können ohne Stängel in Gefriertüten abgepackt und bei Bedarf aus dem Eisfach geholt werden.

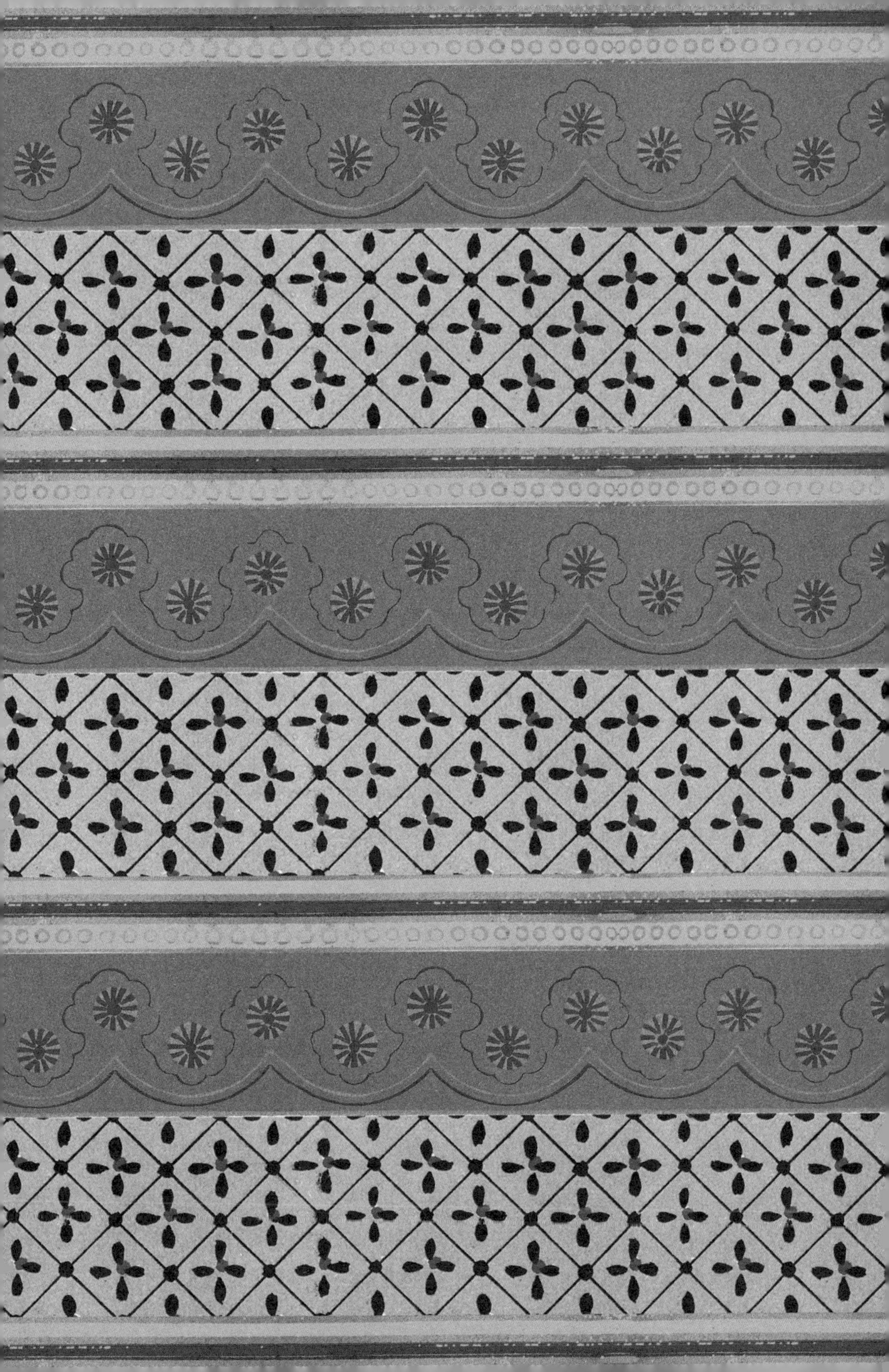

Myristica fragrans

Muskatblüte

Die Muskatblüte ist der rote, netzartige Mazis (Samenmantel), der den Samen des Muskatnussbaums Myristica fragrans *umhüllt. Die Früchte sind mit Aprikosen vergleichbar.*

PASST ZU
Hähnchen, Lamm, Kalb, Fisch, Kohl, Blumenkohl, Sellerie, Möhren, Zwiebeln, Kartoffeln, Spinat, Süßkartoffeln, Kürbis, Äpfeln, Pflaumen, Zitronen, Weichkäse, Eiern, Milch, Vanille

PROBIEREN
Shrimps in Würzbutter (vorzugsweise aus Butterschmalz) einlegen; hierfür das zerlassene Fett mit gemahlener Muskatblüte, schwarzem Pfeffer, 1 Spritzer Zitronensaft und 1 Prise Cayennepfeffer verrühren, dann die gekochten und ausgelösten Shrimps in Schälchen verteilen und mit Würzbutter auffüllen, bis sie gut bedeckt sind.

HERKUNFT
Banda-Inseln in Indonesien

ABBILDUNG LIX
Chinesisch Nr. 1
Die Muskatblüte – der netzartige Samenmantel, der die Muskatnuss sicher umhüllt – sieht aus wie dieses Honigwabenmuster.

DIE GESCHICHTE DER Muskatnuss (Seite 120) ist schon spannend genug, und die Muskatblüte – der ledrige scharlachrote Mazis – ergänzt sie um eine weitere Empfindungsebene. Als netzartige Schutzhülle hält sie die Muskatnuss in der Schalenfrucht behaglich umschlossen. Das Innere wird erst sichtbar, wenn der fleischige, ölhaltige Samenmantel aufplatzt. Nach dem Auslösen wird die verhüllte Muskatnuss in Wasser eingeweicht; die Muskatblüte wird dann in Handarbeit entfernt, flach gedrückt und einige Stunden getrocknet. Auf Grenada (Inselstaat der Kleinen Antillen) wird sie monatelang dunkel gelagert. In dieser Zeit nimmt sie einen satten Gelbton an; in Indonesien bleibt sie flammend rot, weil ihr dort nicht auf die gleiche Weise Licht entzogen wird.

Verständlicherweise hat die Muskatblüte ein Aroma, das an Muskatnuss erinnert: Sie schmeckt frisch und warm, womöglich etwas schärfer und süßer und lässt den Duft von Wiesenblumen, Pfefferkörnern und Gewürznelken anklingen. Dezent, aromatisch und delikat im Geschmack hat sie eine wärmende Zitrusnote und einen bitteren Beigeschmack. Die Muskatblüte ist Hauptbestandteil der britischen Gewürzmischung für Puddings; sie ist auch Teil eines Mischgewürzes aus jeweils einem Teelöffel gemahlenem Piment, Zimt, Muskatnuss, Gewürznelken, Koriander, Ingwer und zwei Teelöffeln gemahlener Muskatblüte; meist wird diese Mischung zum Backen von Kuchen und Keksen verwendet. Muskatblüte eignet sich auch gut zum leichten Aromatisieren eingelegter Shrimps nach britischer Art und kann für Pickles, Chutneys, Pasteten, Terrinen, Glühwein oder Reispudding verwendet werden. Ebenso entfaltet sie sich in Cremespeisen, u.a. in Desserts, Kakaogetränken oder Béchamelsauce. Gleichermaßen kann sie klare Flüssigkeiten wie die Brühe von französischer Zwiebelsuppe und Krustentierfond geschmacklich abrunden.

Myristica fragrans

Muskatnuss

Die Samenkerne der Muskatnussfrucht, die Holzkügelchen ähneln, haben eine außergewöhnliche, blutige Vergangenheit.

PASST ZU
Hähnchen, Lamm, Kalb, Fisch, Kohl, Blumenkohl, Sellerie, Möhren, Zwiebeln, Kartoffeln, Spinat, Süßkartoffeln, Kürbis, Äpfeln, Pflaumen, Zitronen, Weichkäse, Eiern, Milch, Vanille

PROBIEREN
Blanchierten und gehackten Spinat mit Ricotta, Ei, Parmesan und reichlich Muskatnussabrieb vermischen und als Füllung für Lasagne, Cannelloni oder Pfannkuchen verwenden; zum Schluss mit Tomatensauce und geriebenem Parmesan garnieren; bei der Herstellung von Speiseeis die Sahne mit Muskatnuss statt mit Vanille aromatisieren, dann zu Apfelkuchen, Crumbles und Pasteten servieren.

HERKUNFT
Banda-Inseln in Indonesien

ABBILDUNG XXII
Griechisch Nr. 8
Formen, die genauso wie Muskatnüsse aussehen.

Muskatnüsse waren ursprünglich auf den Banda-Inseln der Provinz Maluku in Indonesien beheimatet. Die Seefahrer sollen sie sogar schon aus der Ferne gerochen haben, bevor sie überhaupt die Inseln sahen. Im 6. Jahrhundert gelangte die Muskatnuss nach Byzanz (Istanbul). Das ganze Mittelalter hindurch handelten die Araber mit dem Samenkern der Muskatnussfrucht und transportierten das Gewürz nach Venedig, um den anspruchsvollen Gourmetgaumen europäischer Aristokraten zu erfreuen. Die neu entwickelte Vorliebe für das Gewürz setzte die fieberhafte Suche nach dem Ursprung der Muskatnuss in Gang. 1511 wurden die Banda-Inseln von den Portugiesen annektiert; später entbrannten zwischen den Holländern und den Briten jahrzehntelange Machtkämpfe um das Gewürz, die mit der Versklavung und Dezimierung der Urbevölkerung einhergingen. Muskatnuss wird heute überall angebaut, angefangen auf Grenada (dessen Flagge eine Muskatnuss ziert) über Guatemala bis nach Indien und Indonesien. Die beiden letztgenannten Länder sind derzeit die weltgrößten Exporteure.

Die Bäume gedeihen unter tropischen Bedingungen in Meeresnähe und vor allem in fruchtbarer Vulkanerde. Bei der Ernte werden die aprikosenähnlichen Früchte mit langen Stangen vom Baum abgeschlagen und in einem Korb aufgefangen. Nach dem Dörren an der Sonne wird der Samenkern hart und verblasst zu einer aschbraunen, murmelartigen Kugel.

Die ruhmreiche, lange umkämpfte Muskatnuss ist süßer als ihre Geschichte. Sie duftet nach Kiefer, ist herrlich erwärmend und schmeckt leicht nach Gewürznelken. Das Aroma rührt von dem ätherischen Öl Myristicin her, das auch in Möhren, Petersilie and Sellerie präsent ist, jedoch in der Muskatnuss reichlich enthalten ist. Etwas süßer als Muskatblüte (Seite 118), die kräftiger und schärfer

ABBILDUNG XIII
Ninive & Persien Nr. 2
Im Querschnitt der Muskatnusskerne sind ihre herrlich vielfältigen Muster erkennbar.

im Geschmack ist, kann Muskatnuss in jede Art von süßen und herzhaften Gerichten gerieben werden. Gerne werden damit auch cremige Getränke, Feuerzangenbowle, *Eggnog* (Eierpunch) und Glühwein gewürzt. Muskatnuss erhöht das Alltägliche.

In Großbritannien wird Muskatnuss in Milchpuddings, Saucen und Kartoffelgerichten verwendet; in Frankreich ist sie in Béchamelsauce und Kartoffelgratins vertreten; in Italien wird sie mit Spinat kombiniert; in Deutschland mildert sie die Schwere von Kartoffeln und Klößen ab; in den Niederlanden wird sie für Blumenkohl, Gemüsepürees und Fleischeintöpfe verwendet, auf Jamaika für Dörr-

fleisch und Currys und in arabischen Ländern für Hammel- und Lammfleisch. Das süße Gewürz spielt eine tragende Rolle in der tunesischen Gewürzmischung *Qâlat daqqa* und im marokkanischen Ras el-Hanout (Seite 207). Wohlbekannt ist sie auch in dem mit Zucker und Rum angesetzten Muskatnusssirup der Gewürzinsel Grenada, wo sie omnipräsent ist – von Süßkartoffeltarte und Hähnchengerichten bis zu Speiseeis und Fruchtdesserts.

Übermäßiger Gebrauch von Muskatnuss kann wie ein toxisches Arzneimittel wirken. In der Ayurveda-Medizin ist sie als *mada shaunda* bzw. als »Betäubungsfrucht« bekannt.

Nigella sativa

Echter Schwarzkümmel

Der Prophet Mohammed, Religionsstifter des Islam, soll dieses Gewürz in höchsten Tönen gelobt haben: »Es heilt jede Krankheit außer den Tod.«

PASST ZU
Lamm, Hähnchen, Bulgurweizen, Reis, Bohnen, Kartoffeln, Kürbis, Koriander, Piment, Bockshornklee, Thymian, Zimt, Kardamom, Kreuzkümmel, Ingwer

PROBIEREN
Vor dem Backen Schwarzkümmelsamen über Brot oder herzhafte Kekse streuen; zusammen mit Kardamom, Kreuzkümmel und Zimt Pilaw-Reis oder gerösteten Kartoffeln beigeben.

HERKUNFT
Westasien und Südeuropa

ABBILDUNG LXXIX
Renaissance Nr. 6
Die ätherischen Blüten und zartfiedrigen Blätter erinnern an Schwarzkümmel bzw. Jungfer im Grünen.

IM ALTLATEINISCHEN HIESS das Gewürz *panacea* (Allheilmittel). Sogar in König Tutanchamuns Grab wurde Schwarzkümmel (auch Nigella genannt) als Reiseproviant für das Jenseits gefunden. In Indien wird es *kalonji* genannt, der arabische Name *habbah al-baraka* bedeutet »segenreicher Samen«. Manchmal spricht man auch von schwarzem Kreuzkümmel (obwohl das Gewürz nicht nach Kreuzkümmel schmeckt). Schwarzkümmel ist verwandt mit der Jungfer im Grünen (*Nigella damascena)*, einer filigran-nostalgischen Gartenstaude mit fiedrigen Blättern und blauen Blüten. Schwarzkümmelsamen sind kleine, unscheinbare schwarze Körner mit rauer Oberfläche. Die zauberhaften Samenkapseln, in denen sie eingeschlossen sind – kleine, violett-grün gestreifte Laternchen, die von fiederteiligen Blättern geschützt werden –, werden vor dem Aufplatzen geerntet, dann getrocknet und zerdrückt, so dass alle wertvollen Inhaltstoffe freigesetzt werden. Durch leichtes Reiben verströmen die Samen einen pfeffrig-warmen Duft. Ihr erdig-nussiges Aroma ist dezent und lang anhaltend.

In Indien werden ganze Kapseln in Chutneys, Currys und für Joghurt und Reisgerichte verwendet. Schwarzkümmel ist Bestandteil der Gewürzmischung Panch Phoron (Seite 205). Auch orientalische *Kibbeh* (krokettenähnliche Kugeln aus Lamm und Bulgurweizen) enthalten Nigella. Der Samen ist ein universelles Brotgewürz – von indischem Fladenbrot *Peshwari Naan* und türkischem *Pita* bis hin zu jüdischem Sabbatbrot (*Challah*), persischem Fladenbrot (*Nan-e Barbari*) und deutschem Pumpernickel.

Papaver somniferum

Mohnsamen

Die Mohnpflanze mit ihren dickfleischigen Blättern und üppigen Blüten hat eine reiche Vergangenheit.

PASST ZU
Orangen, Zitronen, Vanille, Zimt, Honig, Schokolade, Trockenobst, Nüssen, Nudeln, Reis, Möhren, Kartoffeln, Kohl, Zucchini, Hähnchen, Eiern

PROBIEREN
Einige Teelöffel Mohnsamen einem Zitrus- oder Karottenkuchen beigeben. Den Kuchen mit einer einfachen Glasur überziehen und mit ein paar Mohnsamen bestreuen.

HERKUNFT
Östlicher Mittelmeerraum bis Zentralasien

ABBILDUNG LXXVII
Renaissance Nr. 4
Diese kombinierten Muster spielen auf die dunkelgraue Farbe der Samen an, die manchmal als pastöse Gebäckfüllung verwendet werden.

Mohn ist eine uralte Pflanze. Die Sumerer, Griechen und Römer haben den betäubenden Milchsaft (Latex), den die unreifen Samenkapseln abgeben, als Sedativum und Schmerzmittel verwendet (*Papaver somniferum* bedeutet »Schlafmohn«), die getrockneten Samen jedoch wirkten selbst bei festem Schlaf keineswegs betäubend. Die resiliente Pflanze hat sich ab Mitte des 16. Jahrhunderts von Arabien und Persien nach Indien und China gen Osten ausgebreitet und gedeiht heute auch in Afghanistan und Tasmanien. Zur Reifezeit werden die Kapseln braun, in ihrem Inneren sind raschelnd Samen zu hören. Die Mohnkapseln werden unversehrt gepflückt, dann getrocknet und zerstoßen, so dass die Samen in einen Auffangbehälter fallen. Die winzigen Körnchen gibt es in zwei Farben: die für Europa typische Varietät ist dunkelblau; in der asiatischen Küche bevorzugt man weißgelbe Mohnsamen – auch als Couscous-Mohn oder Posto bekannt.

Mohnsamen duften nussig und schmecken fast ein wenig nach Mandeln. In der Regel werden sie zur Aromaentfaltung vor Gebrauch geröstet. Die Samen werden schnell ranzig, deshalb sollte man sie in kleinen Mengen kaufen. In der Türkei werden gemahlene Mohnsahmen für *Halva* (eine Süßigkeit) verwendet, während in Indien weiße Mohnsamen gemahlen werden, um Saucen und Kormas anzudicken. In Europa und Nordamerika wird Mohn für Brote, Bagels, Brezen und Kuchen als Backzutat verwendet. Mohntorte oder -kuchen wird in ganz Deutschland und Osteuropa gerne gegessen. Die britische Kochbuchautorin Claudia Roden schreibt über die Verwendung von Mohn in der Küche der aschkenasischen Juden, vor allem in den *Hamantaschen*, den dreieckigen Gebäckstücken, die üblicherweise zum Purimfest gegessen werden.

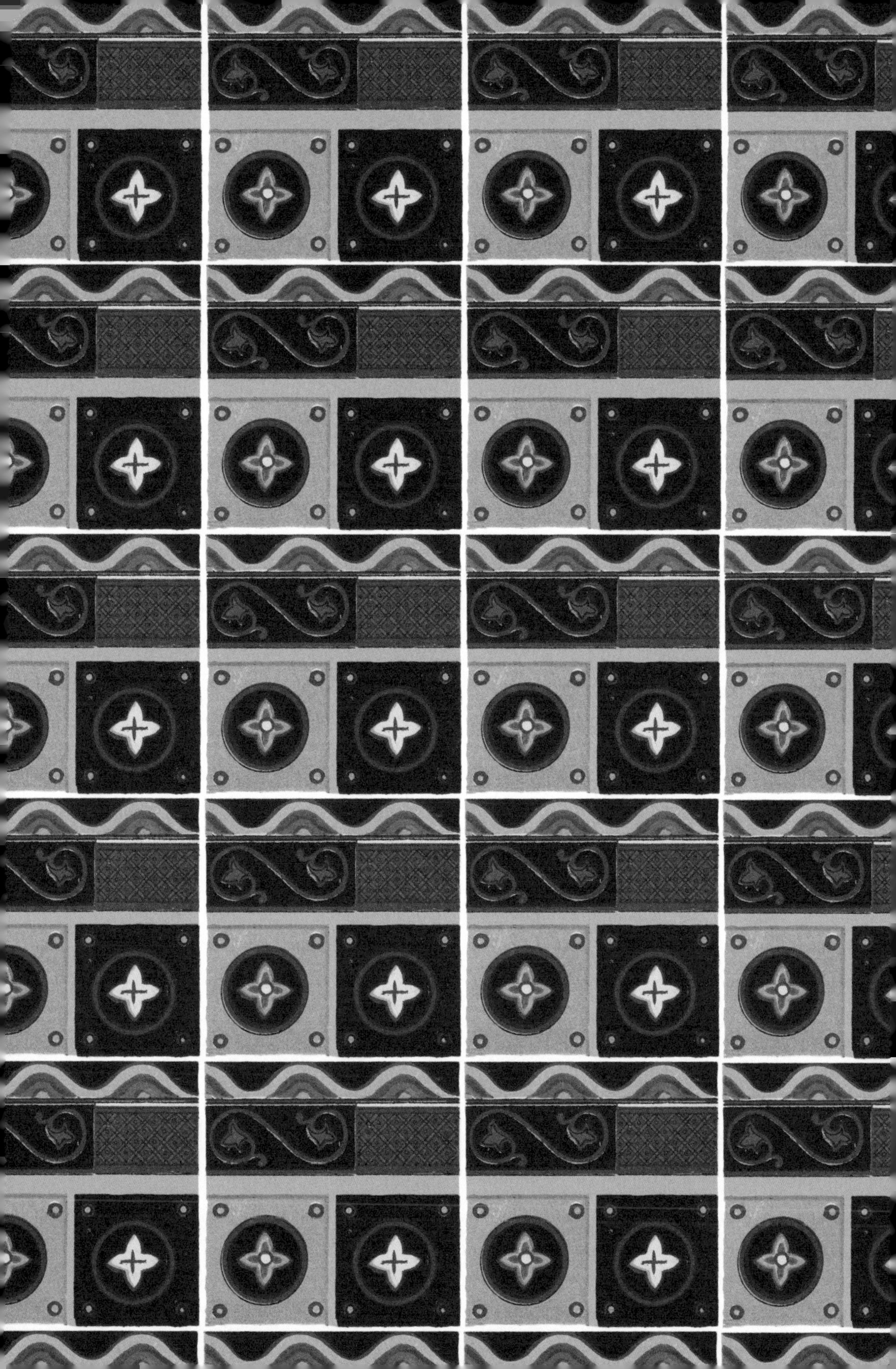

Pimenta dioica

Piment

Nach seiner eigenartigen Fähigkeit benannt, all die Aromen vieler anderer beliebter Gewürze wie Gewürznelken, schwarzer Pfeffer, Lorbeerblatt, Muskatnuss, Muskatblüte und Zimt zu unterstreichen, gehört Piment (auch Allgewürz oder Allspice) zur Familie der Myrtengewächse.

PASST ZU
Rind, Schwein, Hähnchen, Lamm, Auberginen, Tomaten, Zwiebeln, Kürbis, Süßkartoffeln, Roten Beten, Pflaumen, Ananas, schwarzen Johannisbeeren, Äpfeln, Feigen, Schokolade, Ingwer, Peperoni

PROBIEREN
Hackbällchen, Burgern, Obstkompotten, Tomatensaucen, BBQ-Saucen und Glühwein eine ordentliche Prise gemahlenen Piment beigeben.

HERKUNFT
Karibische Inseln und tropisches Mittelamerika

ABBILDUNG IX
Ägyptisch Nr. 6
In Reihen angeordnete dunkelbraune Beeren mit gehaltvollen, tropischen Aromen (gegenüber und umseitig).

Auf den Karibischen Inseln und im tropischen Mittelamerika beheimatet, ist Piment (auch Nelkenpfeffer genannt) eines der wenigen wichtigen Gewürze, die nach wie vor vorwiegend in ihrer Herkunftsregion angebaut werden. Trotz seines botanischen Namens ist er nicht mit schwarzem Pfeffer oder Paprika (*Capsicum*) verwandt. Im 16. Jahrhundert glaubten spanische Entdecker auf eine Pfefferart gestoßen zu sein; sie hatten sich jedoch geirrt.

Es gibt drei Arten von Piment: Jamaikapfeffer, Honduras-Piment und Mexikanischer Piment, wobei ersterer am handelsüblichsten ist. Die dicken, braunen Pimentkörner werden auf Gewürzplantagen in Handarbeit von den Bäumen gepflückt, sobald sie ihre volle Größe erreicht haben, aber noch unreif sind. Die sonnengewärmten Beeren werden dann mit einer isolierenden Plane abgedeckt und bis zu einer Woche auf schwarzen Betonplatten in Schwimmbeckenlänge zum Trocknen ausgelegt, bis sie sich rotbraun verfärben. Wenn sie mit Tau in Berührung kommen, verderben sie; deshalb müssen die weichen Beeren jeden Abend von den Plantagenarbeitern nach drinnen verbracht werden.

Der warm duftende Piment ist eine pfeffrig-scharfe Verbindung aus Gewürznelken, Muskatnuss und Zimt, obwohl die britische Food-Autorin Elizabeth David schrieb: »Ich für meinen Teil kann darin Muskatnuss oder Zimt nicht erkennen. Sicher ist da aber ein Hauch von Gewürznelke und eine deutliche Pfeffernote.« Verantwortlich dafür ist Eugenol, ein Inhaltsstoff, der auch das Aroma von Gewürznelken bestimmt. Ein Teil der Pimentschärfe kommt von der Eichengerbsäure (*Acidum quercitannicum*), einem der beiden Gerbstoffe.

Jamaikanische Köche verwenden Piment zum Konservieren von Fleisch und Fisch; auch ist er eine wichtige Zutat von Jerk-Rubs für Grillfleisch aller Art und für Fisch. Piment ist auch ein wesent-

licher Bestandteil von klassischem »Reis mit Erbsen«. Ebenso wird er lokalen Spezialitäten wie Frühstücksbrot, Schildkrötensuppe, Frikadellen, Chayote-Kürbiskuchen und einem Cocktail namens *Pimento Dram* (sirupartiger, würziger Rumlikör) beigegeben.

Im Mittleren Osten werden Pilaws und Currys mit Piment aromatisiert; in Europa wiederum verleiht Piment Kuchen und Nachspeisen eine warme Geschmacksnote und kann englischem Weihnachtspudding großzügig hinzugefügt werden. Er ist auch eines der Gewürze in der altenglischen »Wassail-Bowle«,

einem Glühmost, der ursprünglich am Dreikönigsabend getrunken wurde. Der Apfelwein wird dafür mit braunem Zucker, Zitronen- und Orangensaft und ganzen Pimentkörnern in einem Musselinbeutel angesetzt. In der Regel passt Piment zu vielerlei Obst – wie etwa zu Pflaumen, schwarzen Johannisbeeren, Äpfeln und Ananas. In Skandinavien werden Salzheringe, gepökeltes Rindfleisch und Eisbein mit Piment gewürzt. Das sogenannte Pimentbeerenöl kann das fein gemahlene Gewürz ersetzen.

Pimpinella anisum

Anis

Anis ist ein vielseitiges Gewürz, das seit der Antike verwendet wird. Plinius der Jüngere äußerte sich zu wärmendem Anis wie folgt: »Ob frisch oder getrocknet, Anis wird zum Konservieren und Aromatisieren gebraucht.«

PASST ZU
Schwein, Rind, Hähnchen, Ochsenschwanz, Fisch, Meeresfrüchten, Süßkartoffeln, Kürbis, Lauch, Fenchel, Pastinaken, Möhren, Pflaumen, Pfirsichen, Birnen, Äpfeln, Bananen, Melonen, Feigen, Ananas, Rhabarber, Kirschen, Zimt, Basilikum, Zitronen, Orangen, Ingwer, Vanille, Schokolade

PROBIEREN
Anissamen mit Zimt, schwarzem Pfeffer und Salz grob vermahlen, mit etwas Olivenöl verrühren und als Rub für Hähnchen- oder Schweinefleisch verwenden; Apfel-, Pflaumen- und Obstkuchen mit Anis aromatisieren.

HERKUNFT
Östlicher Mittelmeerraum, Mittlerer Osten

ABBILDUNG X
Ägyptisch Nr. 7
Stachelige Formen evozieren die pfeffrig-scharfe Würze; die Kreise sehen aus wie gekochte Bonbons mit Anis-Aroma.

PIMPINELLA ANISUM WIRD seiner Samenkörner (Anis oder Anissamen) wegen angebaut, während die jungen Blätter als Kraut verwendet werden. Die kleinen blassbraunen, ovalen Samen riechen und schmecken süß und haben eine erwärmende Lakritznote, die entweder fruchtig oder bitter sein kann (vor allem bei der indischen Varietät). Sie sind feiner im Aroma als Fenchel und Sternanis, jedoch haben die pfeffrig-scharfen Blätter einen vergleichbaren Duft. Der unverwechselbare Geschmack wird von ätherischem Anisöl (Anethol) bestimmt. Aufgrund dieses zentralen Bestandteils wird Anis zum Aromatisieren von Spirituosen verwendet, etwa von griechischem Ouzo, französischem Pastis, libanesischem Raik und türkischem Raki.

Diese zarte, im östlichen Mittelmeerraum und im Mittleren Osten beheimatete Pflanze wird heute in aller Welt angebaut. Sie ist eng verwandt mit Kümmel, Dill und Kreuzkümmel. Die Römer verwendeten sie als Aromastoff und verdauungsförderndes Mittel; zum Abschluss hoher Festlichkeiten wurden oft *Mustacei*, mit Anis gewürzte Mostbrötchen, gereicht. In Europa findet man Anis in Kuchen, Roggenbrot, Obstspeisen und Eintöpfen mit Schweinefleisch und Fisch. Portugiesen essen gerne Anis-Maronen, während man in Katalonien und Italien getrocknete Anis-Feigen kennt, wie etwa in der italienischen *Salame di fichi* (einer »Salami« mit Feigen und Mandeln). Im Libanon wird Anis als Puddinggewürz verwendet, in Großbritannien zum Aromatisieren von Süßigkeiten wie etwa für knackige Aniskugeln, deren Geschmack anscheinend auf ewig im Mund anhält. In Deutschland wird Anis in Weihnachtsplätzchen verwendet, z. B. in Pfeffernüssen. In Myanmar ist Anis in einer Betelblattmischung enthalten, die nach einer Mahlzeit zur Verdauungsförderung und für einen frischen Atem gekaut wird.

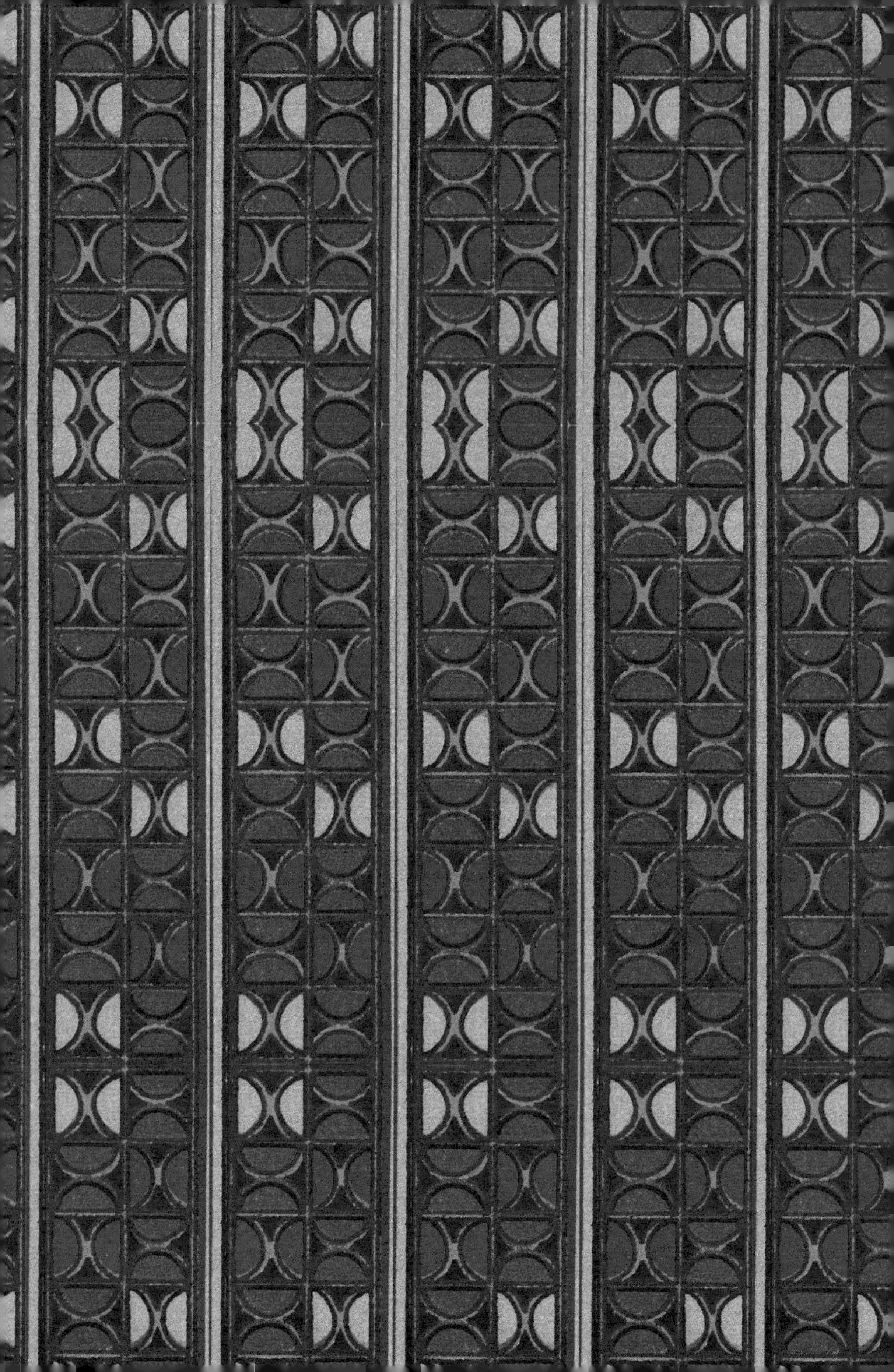

Piper cubeba

Kubebenpfeffer

Auch als Javapfeffer und Schwanz-Pfeffer bekannt, ist Kubebenpfeffer die getrocknete Frucht einer tropischen Kletterrebe aus der Familie der Pfeffergewächse. Er stammt ursprünglich aus Java und anderen indonesischen Inseln.

PASST ZU
Lamm, Rind, Schwein, Wild, Tomaten, Weichkäse, Honig, Datteln, Zitronen

PROBIEREN
Gemahlenen Kubebenpfeffer, Muskatnuss, Gewürznelken und Ingwer in gleich großen Mengen vermischen und für Kekse und Kuchen oder zum Würzen von Tajines verwenden.

HERKUNFT
Java

ABBILDUNG LXVII
Mittelalter Nr. 2
Wie ein Blick durch Buntglas in einer stockfinsteren Nacht; das Muster erinnert von der Form her an *Makroudhs*, ein nordafrikanisches Weizengrießgebäck.

MIT KUBEBENPFEFFER, DESSEN Name sich aus dem arabischen *kababa* herleitet, handelten die Araber bereits ab dem 7. Jahrhundert. Verwendet wird er heute immer noch in der marokkanischen Gewürzmischung Ras el-Hanout (Seite 207). Das Gewürz wurde in *Tausendundeine Nacht*, einer Geschichtensammlung aus dem goldenen Zeitalter des Islam mit Ursprung im Orient und in Südasien, als Heilmittel gegen Unfruchtbarkeit erwähnt. In Polen wurde im Mittelalter *Ocet kubebowy* (Kubebenessig) mit Kreuzkümmel und Knoblauch zum Marinieren von Fleisch verwendet. 1640 verbot der König von Portugal den Verkauf von Kubebenpfeffer, um den Handel mit schwarzem Pfeffer zu fördern. Kubebenpfeffer fand in europäischen Kochbüchern des 18. Jahrhunderts Erwähnung und im viktorianischen Zeitalter wurden Zigaretten geraucht, die Kubebenpfeffer statt Tabak enthielten.

Kubebenbeeren sind länger, grauer und runzeliger als schwarze Pfefferkörner und haben einen kurzen Stängel. Einige enthalten ein einziges Samenkorn, andere wiederum sind hohl. Das Aroma ist warm und angenehm und erinnert fast an Tannenduft, mit einer kräftigen Pimentnote und einem Hauch von Eukalyptus. Die rohen Beeren riechen nach Kiefer. Scharf und intensiv wärmend, haben sie auch eine anhaltende, bittere Note und einen Beigeschmack von Minze; beim Kochen entfaltet sich Pimentaroma.

Kubebenpfeffer wird für afrikanische Tajines mit Lamm- und Hammelfleisch verwendet. In der marokkanischen Küche steckt er in den rautenförmigen *Makroudhs*, einem Weizengrießgebäck mit Dattel- und Honigfüllung. Auch wird er typischerweise in indonesischen *Gulai* (landestypische Form des indischen Currys) verwendet. Bombay Sapphire® (Gin) wird mit Kubebenpfeffer und Paradieskörnern (Seite 26) aromatisiert.

Piper longum

Stangenpfeffer

Einhergehend mit dem Versprechen, neuen Schwung ins Liebesspiel zu bringen, sollten dem Kamasutra zufolge Stangenpfeffer, schwarzer Pfeffer und andere Gewürze gemischt werden.

PASST ZU
Artischocken, Spargel, Pilzen, Linsen, Schwein, Rind, Lamm, Fisch, Mangos, Äpfeln, Birnen, Pflaumen, Erdbeeren, Ananas, Couscous, Reis, Zimt, Kardamom

PROBIEREN
Pochierten Birnen oder Pflaumen 1 Prise Stangenpfeffer hinzufügen; dazu würzige Schlagsahne mit je 1 Prise Stangenpfeffer und Kardamom servieren, nach Belieben auch mit Vanilleextrakt und Zucker abrunden.

HERKUNFT
Nordostindien

ABBILDUNG II
Indisch Nr. 3
Gleich den gezähnten »Weidenkätzchen« des Gewürzes, mit warmer moschusartiger Farbe und sanfter Wärme.

Diese langen, dünnen, scharf-pfeffrigen Gewürzstangen waren einst ein Heilmittel für erlahmende Libido: Konstantin der Afrikaner (1020–1087), zu jener Zeit ein großer medizinischer Forscher, empfahl eine Verbindung aus Galgant (Seite 28), Zimt (Seite 68), Gewürznelke (Seite 158), Stangenpfeffer, Rauke und Möhre und nannte sie das »Beste, was es gibt« – man vergesse nicht, dass wir hier von einem Mönch sprechen!

Der heute ein wenig in Vergessenheit geratene Stangenpfeffer, auch als Pippali oder Bengalischer Pfeffer bekannt, kommt von den »Weidenkätzchen« (dem Blütenstand) von *Piper longum*, einer aromatischen kleinen Kletterpflanze, die an schattigen Standorten und in den feuchten, schwüleren Regionen Indiens gedeiht. Javapfefferschoten (*Piper retrofractum*) sind länger und schärfer. Im alten Rom war Stangenpfeffer ein geschätztes Gewürz. Im Mittelalter war schwarzer Pfeffer zwölf Mal teurer als Stangenpfeffer. Zu jener Zeit kam das Gewürz in Europa aus der Mode – vielleicht zugunsten frischer Peperoni. Hingegen wird es in Asien mehr oder weniger konsequent weiter verwendet.

Stangenpfeffer hat einen feinen Geschmack, der den Eindruck von Garam Masala (Seite 200) vermittelt. Er verbindet die Schärfe des schwarzen Pfeffers (beide enthalten Piperin) und die moschusartige Süße von Zimt, Muskatnuss und grünem Kardamom. Wo schwarzer Pfeffer als brennend wahrgenommen wird, wirkt Stangenpfeffer milder. In Indien wird er in Linseneintöpfen und in Pickles verwendet. Stangenpfeffer ist in den Landesküchen Indonesiens und Malaysias stark vertreten. Er ist außerdem das Hauptgewürz in *Nihari*, einem der pakistanischen Nationalgerichte, bei dem Rind- und Lammfleisch samt Knochenmark zu einer Brühe eingekocht werden.

Piper nigrum

Schwarzer Pfeffer

Der erste bekannte Pfefferverwender streute diesen nicht über Bolognese-Sauce, denn er war tot. Kurz nachdem der ägyptische Pharao Ramses II. verstorben war, wurden ihm ein paar Pfefferkörner in die Nase gesteckt.

PASST ZU
Praktisch jeder herzhaften Zutat; überraschend viele süße Ingredienzen werden durch die Beigabe von Pfeffer verstärkt.

PROBIEREN
Calamari mit Salz und Pfeffer zubereiten: Je 1 TL schwarze Pfeffer- und Szechuanpfefferkörner (Seite 184) leicht anrösten, dann mit 4 TL Meersalz zermörsern. 4 EL Maismehl einrühren und Calamariringe darin schwenken. Goldbraun frittieren und mit einem Dip servieren.

HERKUNFT
Indien

ABBILDUNG XLIX
Indisch Nr. 1
Die Kombination aus einfarbigen indischen Mustern erzeugt eine beharrliche Wiederholung, die den beißenden und anhaltend scharfen Geschmack des Pfeffers kennzeichnet (gegenüber und umseitig).

SCHWARZER PFEFFER, DER »König der Gewürze«, macht ein Fünftel des Gewürzhandels aus. Es handelt sich dabei um die getrocknete, unreife Frucht einer Kletterpflanze, die in den Westghats von Kerala beheimatet ist. Heute wird über ein Drittel des weltweiten Bestands in Vietnam angebaut. Die Pfefferpflanze, ein immergrüner Kletterstrauch, hat mandelförmige Blätter und aufrechte Ähren mit unauffälligen weißen Blüten. Sie rankt sich an anderen Bäumen wie Palmen, Betel- oder Mangobäumen über zehn Meter hinaus empor. Aus den Blüten entwickeln sich zunächst grüne, beerenähnliche Früchte, die sich zur Reifezeit rot verfärben. Die sogenannten Pfefferrispen tragen jeweils 50 bis 60 Steinfrüchte. Die grünen, noch unreifen Früchte liefern grünen Pfeffer; aus ganz ausgewachsenen, aber noch grünen Beeren wird schwarzer Pfeffer gewonnen; aus vollreifen Beeren wird roter Pfeffer produziert.

Schwarze Pfefferkörner duften rauchig und fruchtig. Sie werden getrocknet, wobei das piperinreiche, stark harzhaltige Fruchtfleisch zu einem runzeligen schwarzen Panzer mit konzentriertem Aroma zusammenschrumpft. Das Innere enthält die Schärfe; weißer Pfeffer stammt aus dem entpulpten Fruchtkern; was bleibt, ist allein die Schärfe ohne weitere interessante Eigenschaften.

Pfeffer war im alten Griechenland schon im 4. Jahrhundert vor Christus bekannt; allerdings war er teuer. Zur Römerzeit war Pfeffer leichter verfügbar. Mit einer Flotte von 120 Schiffen gelangte er alljährlich auf Handelswegen von und nach Indien und sollte dem römischen Geografen Strabo zufolge 1500 Jahre den Pfefferhandel in Europa dominieren.

Im 5. Jahrhundert gemäß unserer Zeitrechnung forderten die Goten während der Belagerung Roms eine offizielle Pfefferabgabe; zeitweise war ein Gramm Pfeffer genauso viel wert wie ein Gramm

Gold. Es dauerte lange, bis das Pfefferkorn seine Reise in den Westen antrat: Die früheste Erwähnung von Pfefferkörnern in Großbritannien reicht bis zu den Gesetzen des angelsächsischen Königs Æthelred II. (978–1016) zurück: Schiffe, die Waren importierten, mussten zu Ostern und Weihnachten eine Sonderabgabe entrichten, wozu auch zehn Pfund Pfeffer gehörten.

Mit seinem feinen, fruchtig-intensiven Duft und den warmen, holzigen Zitrusnoten ist Pfeffer scharf und beißend im Geschmack und kann den meisten

Gerichten hinzugefügt werden, die weder ausgesprochen süß noch herzhaft sind. Auch unterstreicht er das Aroma anderer Gewürze. Es gibt nur sehr wenige deftige Gerichte, in denen Pfeffer nicht willkommen ist; allerdings verlangen einige Köche aus ästhetischen Gründen für helle Speisen weißen Pfeffer. Weniger bekannt ist die Verwendung von Pfeffer in Süßspeisen: Eine vernünftige Prise schwarzer Pfeffer verstärkt z. B. das Aroma von Erdbeeren, Birnen, Äpfeln und Beeren.

Pistacia lentiscus

Mastix

Wilde Pistazien, auch Mastixbäume genannt, sind von Syrien bis Spanien häufig zu finden. Beim Anritzen der Baumrinde tritt flüssiges Harz, das Mastixharz, aus.

PASST ZU
Mandeln, Aprikosen, Käse, Datteln, Milch, Walnüssen, Pistazien, Kreuzkümmel, Koriander, Zimt, Rosenwasser, Orangenblütenwasser, Hähnchen, Lamm, Reis

PROBIEREN
Etwas Mastixharz mit 1 EL Zucker fein mahlen, dann einige Minuten vor dem Fertigkochen einem Reispudding beigeben. Nach Belieben Kardamom, Zimt, Rosenwasser, Orangenblütenwasser oder etwas Orangenzeste hinzufügen.

HERKUNFT
Griechenland

ABBILDUNG XXII
Griechisch Nr. 8
Die Muster sind wie ein geschmeidiger Harzfluss mit Tränen, die am Stamm des Mastixbaums in Strömen fließen.

Der Mastixbaum, aus dem das Mastixharz gewonnen wird, ist im Mittelmeerraum beheimatet. Auf der griechischen Insel Chios, wo der Anbau eine lange Tradition hat, wird das Harz jedes Jahr von Juli bis Anfang Oktober in den »Mastixdörfern« geerntet. Die langsam wachsenden immergrünen Bäume beginnen, wenn sie ungefähr fünf oder sechs Jahre alt sind, mit der Produktion des klaren, klebrigen Harzes und setzen diese bis zu 60 Jahre fort. Die knorrigen Stämme werden diagonal oder vertikal angeritzt, damit das Harz herausläuft und erhärtet. Diese erhärteten Klümpchen werden aufgrund ihrer ovalen Form »Tränen« genannt. Sie werden aufgefangen, gewaschen und zum Trocknen ausgelegt, bis sie fast durchsichtig sind und leicht golden schimmern. Die Mastixproduktion ist kostspielig und zeitaufwendig; deshalb ist der Extrakt der Wilden Pistazie auch so teuer und es werden manchmal Weihrauch und Gummiarabikum (Dickungsmittel) als günstigere Alternativen verkauft.

Mastix hat ein leichtes Kiefernaroma und ist angenehm mineralisch im Geschmack – etwas bitter, aber sehr reinigend. Das Gewürz war fester Bestandteil der mittelalterlichen Küche und wird bis heute im Mittleren Osten verwendet, z. B. in ägyptischen Eintöpfen. Auf Zypern ist es in Kuchen und Nachspeisen vertreten, so auch im griechischen Osterzopf *Tsoureki* und in Käsegebäck. Es wird zum Aromatisieren von Reispudding und Lokum verwendet und verleiht Speiseeis eine zähe Konsistenz; in der Türkei wird es sogar für *Tavuk Göğsü* verwendet, eine Süßspeise, die (unsichtbar verarbeitete) Hühnerbrust enthält. In Teilen des Landes wird Gästen auch zu einem Glas Wasser *Kumru* (Mastixkonfitüre) gereicht. Mastikatorischer Mastix (beide Wörter haben eine gemeinsame Wurzel; mastikatorisch bedeutet »den Kauakt betreffend«) ist der urtypische Kaugummi.

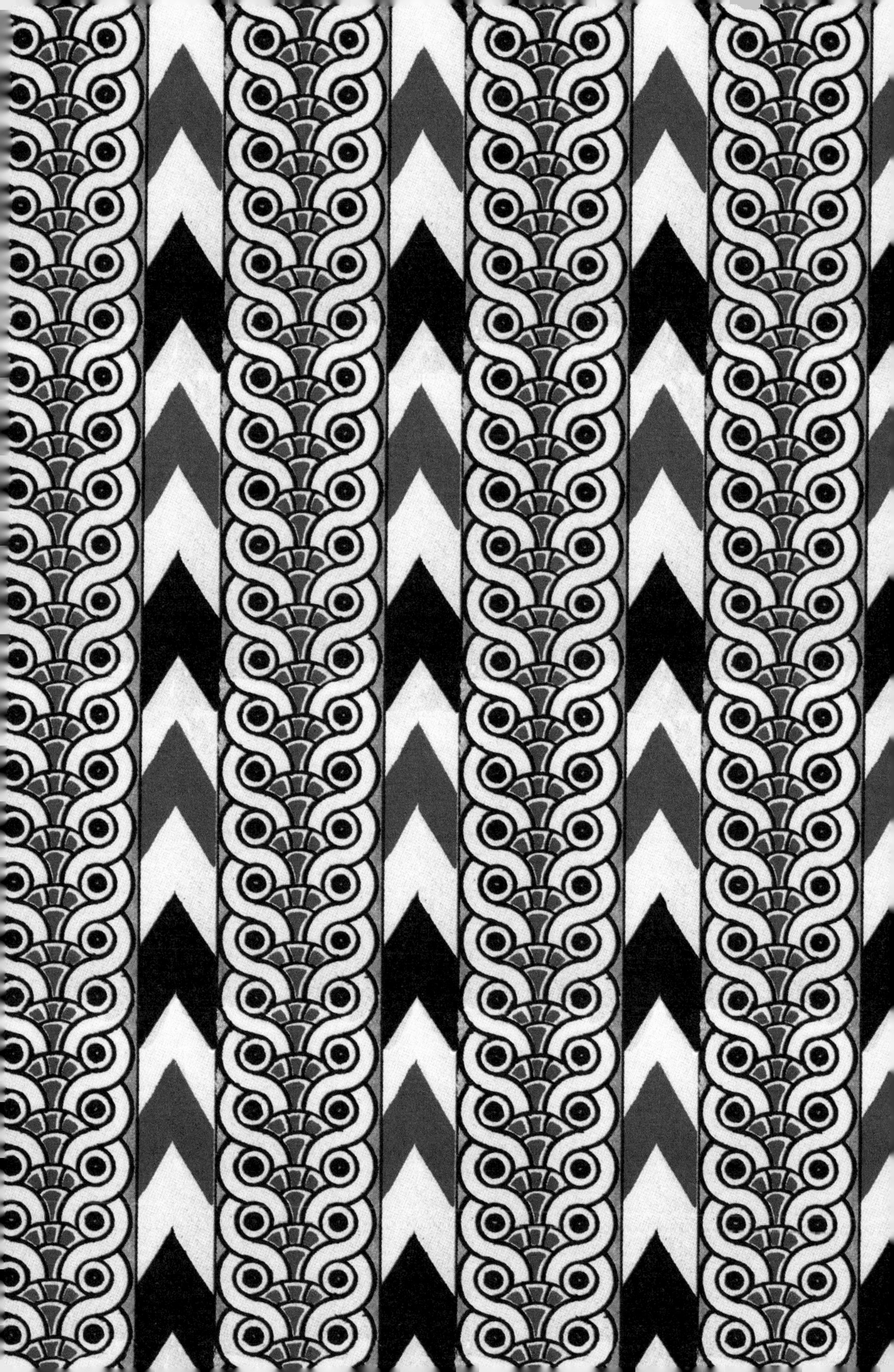

Pouteria sapota

Große Sapote

Die ursprünglich aus Mexiko stammende Große Sapote ist der Samen des Pouteria sapota *(Marmeladenbaum). Ihr Aroma erinnert an Mandelduft.*

PASST ZU
Maismehl, Schokolade, Zimt, Nüssen, Vanille, Rahm

PROBIEREN
Kuchen, Speiseeis und heißem Kakao geriebene Große Sapote beigeben.

HERKUNFT
Mexiko

ABBILDUNG LXX
Mittelalter Nr. 5
All diese weichen, erdigen Töne evozieren mexikanischen Boden, die Aromen von Kürbis und Süßkartoffel und die warmen Farben von Kakaobohnen.

DER NAME »SAPOTE« leitet sich von dem aztekischen Wort *tzapotl* ab, einem Sammelbegriff für alle weichen und süßen Früchte. Der dekorative Marmeladenbaum wird in Mexiko, in der Karibik und in Südflorida angebaut und trägt Beeren mit rosa-orangefarbenem Fruchtfleisch, das nach einer Kombination aus Süßkartoffel, Kürbis und Pfirsich schmeckt. Die Frucht wird manchmal auch Sapote Mamey genannt und sollte nicht mit dem verwandten Mameyapfel (*Mammea americana*) oder mit der nicht verwandten Weißen Sapote (*Casimiroa edulis*) verwechselt werden.

Die geschälten Samen – *zapoyotas*, *sapuyules* oder *sapuyulos* genannt – werden gekocht; dies ist ein notwendiger Schritt, um wie bei Aprikosensteinen kleine Mengen an natürlich auftretender Blausäure abzubauen. Dann werden sie geröstet und mit Kakaokernbruch (Seite 168) vermischt, um Schokolade herzustellen, oder zu Pulver gemahlen. Das Aroma erinnert an Mandeln und Paranüsse. Im Südosten Mexikos werden die gemahlenen Samen zu *Pozol* angerührt, einem nährstoffreichen Mais-Kakao-Getränk mit Zucker und Zimt; auch sind sie eine Zutat in *Tejate*, einem traditionellen kalten Kakaogetränk.

Prunus mahaleb

Mahlab

Mahlab, der Keimling aus dem Kern eines Kirschbaums, der im Mittleren Osten wächst, ist eine Backzutat für festliches Gebäck.

PASST ZU
Mandeln, Aprikosen, Datteln, Pistazien, Rosenwasser, Walnüssen, Anis, Zimt, Gewürznelken, Muskatnuss, Sahne

PROBIEREN
2 TL Mahlab dem Belag eines Pflaumen-Crumbles oder dem Teig eines Kirschen-Clafoutis beigeben. Man kann es auch als Zutat für Butterkekse und Spritzgebäck verwenden.

HERKUNFT
Mittlerer Osten, Iran

ABBILDUNG XLV
Persisch Nr. 2
In diesem Muster aus Persien sind die weiße Blütenpracht und die kleinen, dunklen Sauerkirschen perfekt dargestellt.

DAS MAHLAB WIRD aus dem Fruchtstein des Sauerkirschbaums bzw. der Steinweichsel gewonnen, die im Mittelmeerraum, im Iran und in Teilen Zentralasiens wild wächst und sogar in Nordeuropa anzutreffen ist. Die Steine der kleinen, dunklen und dünnfleischigen Kirschen bergen ovale, beigefarbene Keimlinge, die ungefähr so groß wie ein Pfefferkorn sind. Die aus den Kirschsteinen extrahierten Keimlinge werden getrocknet und können ganz gegessen oder vor Gebrauch zu Pulver gemahlen werden.

Das Gewürz geht auf die alte Kultur von Sumer (dem heutigen südlichen Irak) zurück, wo es als *halub* bekannt war. Mahlab wurde im Mittleren Osten – vor allem bei hohen Festlichkeiten – jahrhundertelang verwendet. Geschätzt wird es wegen seines süßlich-duftigen, rosenähnlich-blumigen Aromas, das auch Anklänge von Bittermandel und Kirsche hat, und auch wegen seines nussigen Dufts, der an süße Mandel erinnert. Jedoch schmeckt es im Abgang bitter.

Mahlab ist in den Landesküchen Griechenlands, Zyperns, der Türkei und der arabischen Nachbarstaaten von Syrien bis Saudi-Arabien vertreten. Man findet es als Backzutat in dem griechischen Osterzopf *Tsoureki* und im Neujahrskuchen *Vasilopita*, in den armenischen Brioches namens *Choereg*; in *Ma'amoul* (libanesisches Ostergebäck mit Datteln, Walnüssen und Pistazien) und in türkischen *Pogača* (Teigtaschen) und Sesamringen, die am Ende des Ramadans zum Kandil-Abend gereicht werden.

Punica granatum

Granatapfelkerne

Die rosinenähnlichen getrockneten Granatapfelkerne sind rötlich-braun, klebrig und typisch knackig.

PASST ZU
Avocados, Spinat, Roten Beten, Gurken, Kartoffeln, Brokkoli, Blumenkohl, Walnüssen, Orangen, Pinienkernen, Hähnchen, Ente, Rind, Lamm, Fisch

PROBIEREN
Trockenfrüchte wie Johannisbeeren, Preiselbeeren und Sauerkirschen für Torten und Brotsorten durch Granatapfelkerne ersetzen; Granatapfelpulver über Pilaws, Obstsalate und Dips wie etwa Hummus streuen.

HERKUNFT
Iran

ABBILDUNG XLIV
Persisch Nr. 1
Das Muster stellt eine schematische, formalisierte Streuung von Granatäpfeln samt Kernen dar.

In der griechischen Mythologie bestimmten Granatapfelkerne den Unterschied zwischen den Jahreszeiten: Persephone, Tochter der Erdmutter Demeter, wurde von Hades, dem Gott der Unterwelt, entführt, wo sie widerwillig einen Granatapfel aß und bis auf sechs Kerne alles wieder ausspuckte. Schließlich wurde sie wieder freigelassen, jedoch nur unter der Bedingung, jedes Jahr für sechs Monate in die Unterwelt zurückzukehren – pro Granatapfelkern einen Monat. In dieser Zeit ließ es ihre trauernde Mutter nicht zu, dass die Erde Ernten hervorbrachte; so entstand also der Winter.

Frische Granatapfelkerne sind fleischig und süß bis sauer im Geschmack. Die Süße wird durch adstringierende Gerbsäure abgeschwächt. In Nordindien werden die ziemlich bitteren Samen des wilden Granatapfels zwei Wochen an der Sonne getrocknet, um klebrig-knackige Granatapfelkerne zu produzieren, die angenehm säuerlich im Aroma und süß-sauer im Geschmack sind. Food-Autorin Madhur Jaffrey meinte, dass die im Westen erhältlichen Granatapfelkerne gar nichts seien im Vergleich zu den »sanft-braunen, zartschmelzenden Kernen aus Pakistan bzw. den indischen Dörfern des Punjab«. Granatapfelkerne eignen sich – entweder ganz, in Wasser eingeweicht oder in Pulverform – für Currys, Chutneys, Füllungen und Schmorgemüse. Je länger die Schmorzeit, desto besser! Das Pulver kann anstelle von Gewürzsumach (Seite 150) oder Mango (Seite 114) verwendet werden. Im Iran werden die Kerne und der zu einem gehaltvollen Sirup eingekochte Fruchtsaft für *Fesendschān* (persisches Huhn in Walnuss-Granatapfel-Sauce) und für *Ashe Anar* (winterlicher Granatapfeleintopf) verwendet.

Rhus coriaria

Gewürzsumach

Der Gewürzsumach oder Färberbaum gedeiht hoch oben auf flachem, felsigem Terrain in warmen Gefilden – je höher die Lage, desto besser. Seine Früchte sind unentbehrliche, säuerlich-herbe Zutaten im Gewürzschrank geworden.

PASST ZU
Hähnchen, Lamm, Fisch, Kichererbsen, Auberginen, Zwiebeln, Spinat, Kürbis, Linsen, Reis, Pinienkernen, Walnüssen, Joghurt, Safran, Zitronen, Minze, Frischkäse

PROBIEREN
Einer Vinaigrette Sumach beigeben oder mit etwas fein gehackter Zwiebel zu einem Joghurtdressing anrühren; mit Knoblauch, Chilipulver, Thymian und Olivenöl zu einer Marinade für Hühnchenbrust oder Lamm mischen.

HERKUNFT
Iran

ABBILDUNG XII
Ninive & Persisch Nr. 1
Erinnert an die kleinen, mit Zitrusaroma erfüllten karneolfarbenen Rispen, die an Zweigen hängen.

GEWÜRZSUMACH, ABGELEITET VON dem altsyrischen Wort für »rot«, ist die Frucht einer dekorativen, großen Staude, die manchmal auch Gerbersumach genannt wird. (Blätter und Baumrinde werden in langer Tradition zum Gerben verwendet). Er wächst wild in den wärmeren Regionen der Nordhalbkugel auf fast kahlem Hügelland und auf Hochplateaus, vor allem auf Sizilien, wo er häufig angebaut wird, und auch in der Türkei und im Iran. Im Herbst verfärben sich die Blätter herrlich rot und die weißen, traubenartigen Blütenstände entwickeln zum Schluss karneolfarbene Beeren (eigentlich Steinfrüchte, die manchmal auch Sumach-Bubiköpfe genannt werden). Sie werden kurz vor Vollreife gepflückt, dann an der Sonne getrocknet und zu einem ziegelroten bzw. braunen Gewürzpulver zerrieben.

Der fast geruchlose Gewürzsumach schmeckt angenehm säuerlich-fruchtig. Wie Salz trägt er in vielen Gerichten zur Aromaentfaltung bei. Ganze Beeren können geschrotet eine halbe Stunde in Wasser eingeweicht und dann für Marinaden, Salatdressings und säuerliche Erfrischungsgetränke entsaftet werden (wie etwa Sumach-Tee oder »Limonade«, die in langer Tradition aus verwandten Arten in Nordamerika hergestellt wird). Schillernd rote Sumachflocken können vor dem Kochen mit anderen Zutaten vermischt werden – zu Fisch-Rub im Libanon und in Syrien, zu Kebabgewürz im Iran und in Georgien, für Gemüse im Irak und in der Türkei. Sumach bringt eine prägnante Säuerlichkeit in den libanesischen *Fattoush* (orientalischer Salat mit geröstetem Brot) und ist eine Hauptzutat der Gewürzmischung Zatar (Seite 211).

Schinus molle

Rosa Pfeffer

Auch als Weihnachtsbeere und Rosenpfeffer bekannt, ist rosa Pfeffer in Südamerika beheimatet und nicht mit schwarzem Pfeffer verwandt.

PASST ZU
Fisch, Wild, Rind, Hähnchen, Schwein, Knoblauch, Peperoni, grünem Blattsalat, Pflaumen, Birnen, Erdbeeren, Himbeeren, Pfirsichen, Weichkäse, Schokolade, Rosenwasser, Eiern

PROBIEREN
Erdbeeren vierteln und in eine Schüssel geben; 2 TL ganzen rosa Pfeffer mit 3 EL Kristallzucker grob zermörsern und über die Erdbeeren streuen; dann kühl stellen, bis sich Saft bildet.

HERKUNFT
Südafrika

ABBILDUNG XLVII
Persisch Nr. 4
Diese Musterkombination spielt auf das warme Rosa der Pfefferkörner und der Pflanzen an, um Intensität und Schärfe nach südamerikanischer Art heraufzubeschwören.

Genetisch hat rosa Pfeffer (Schinusbeere) wenig mit schwarzem Pfeffer (Seite 139) zu tun – de facto ist er mit Cashew und Mango verwandt. Die rötlichen Beeren sind die Früchte des Peruanischen Pfefferbaums, der in trockenen Andenregionen beheimatet ist. Es sind kugelige Steinfrüchte, die in kleinen Rispen am Strauch hängen. Diese Beeren werden reif geerntet und dann getrocknet. Verkauft werden sie ganz, zerkleinert oder in Salzlake eingelegt. Die Früchte einer verwandten Art, des Brasilianischen Pfefferbaums (*Schinus terebinthifolius*), sind ebenfalls als rosa Pfeffer im Handel erhältlich. Rosa Pfeffer, egal welcher Herkunft, war lange umstritten, denn in großen Mengen galt er wegen der hautreizenden Wirkung der darin enthaltenen Cardanol-Phenol-Verbindung als giftig. Nach Aufhebung des Lebensmittelverbots in Nordamerika 1983 wurden die *baies roses de Bourbon* zu Beginn der 1980er-Jahre zum »Liebling der *nouvelle cuisine* und der *cuisine post-nouvelle*«.

Die getrockneten hohlen Beeren können auf die gleiche Art wie Pfeffer verwendet werden. Sie verleihen einem Gericht einen angenehm fruchtigen Geschmack mit Kiefernnote; allerdings verliert sich ihr markanter Duft, wenn sie mit schwarzen, weißen und grünen Pfefferkörnern gemischt werden. Am häufigsten wird rosa Pfeffer bei der Zubereitung von Steak, Fisch, Meeresfrüchten und Hähnchen verwendet sowie für Gemüse wie Spargel. Die Pfefferbeeren verfeinern auch eine Vinaigrette und können recht vielen Gerichten beigegeben werden, für die man auch Wacholderbeeren verwenden würde. Sie machen sich außerdem gut in Baisers, Fruchtcremes, Käsekuchen, Obstkompotten und Schokolade.

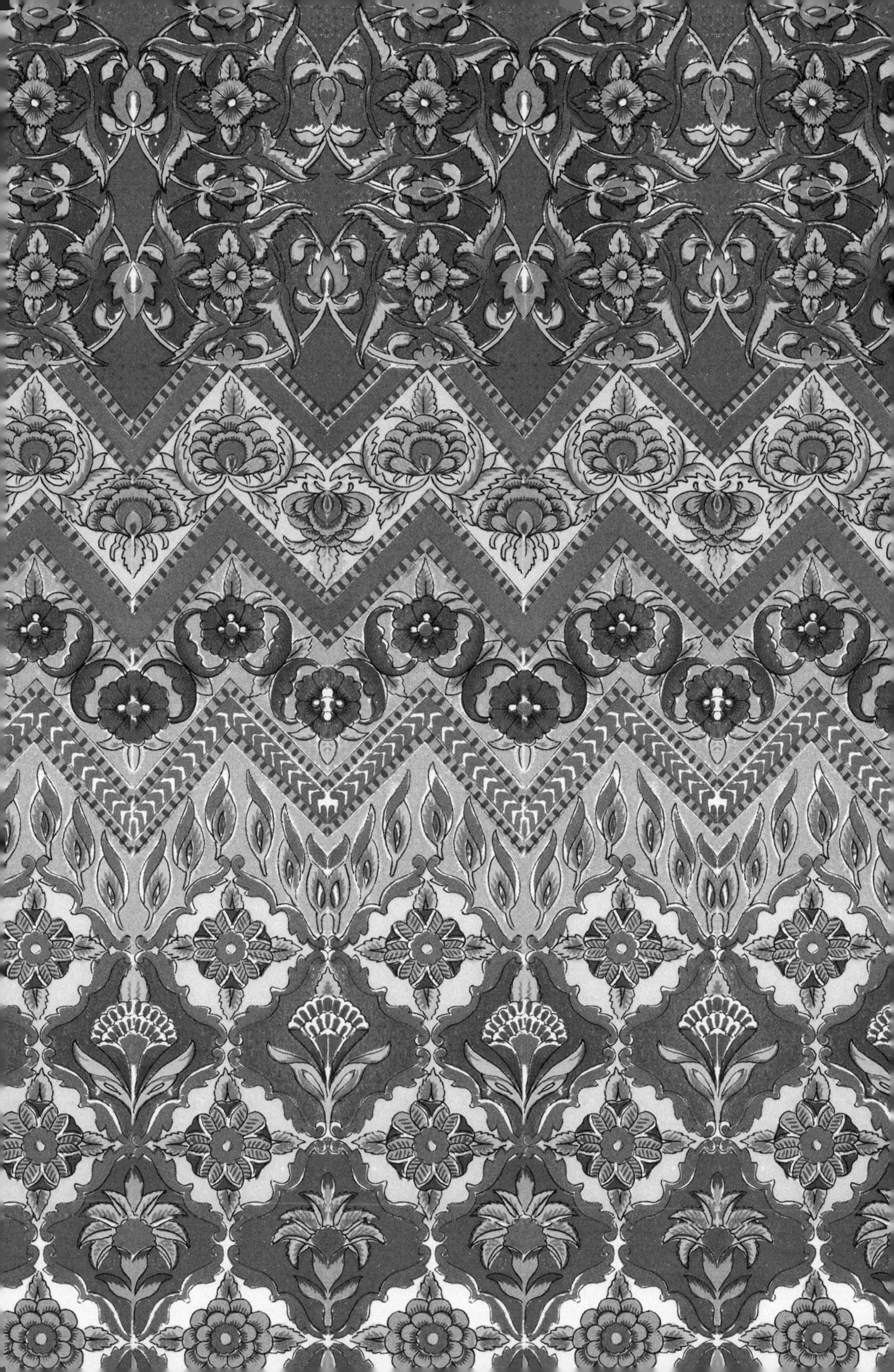

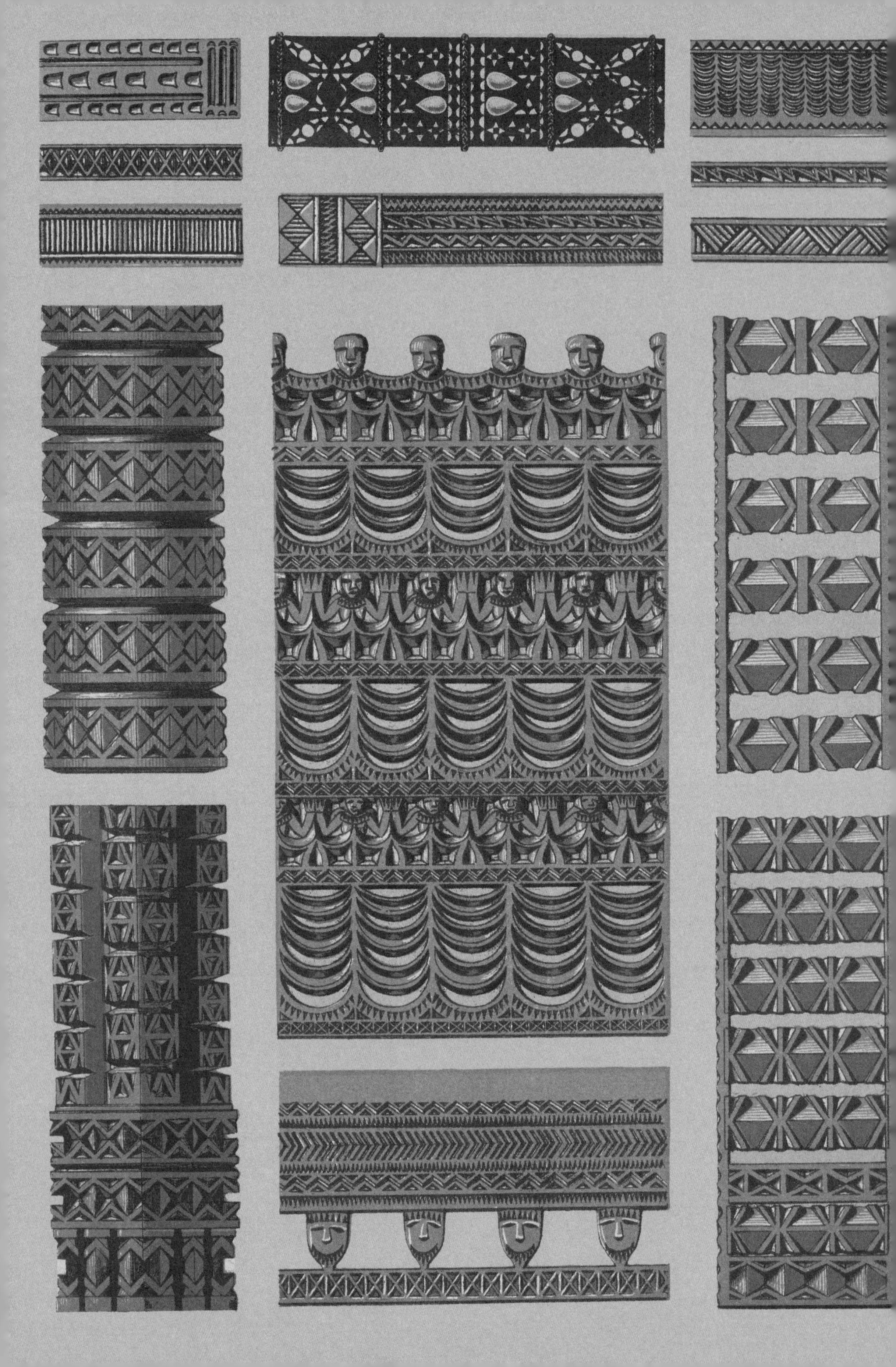

Sesamum indicum

Sesamsamen

Aus der Geschichte Ali Baba und die vierzig Räuber *bekannt, ist das berühmteste aller Zauberworte – »Sesam, öffne dich« – botanisch überaus präzise: Die würstchenförmigen Fruchtkapseln platzen abrupt auf, wenn sie reif sind.*

PASST ZU
Auberginen, Spinat, Zucchini, Möhren, Roten Beten, Zwiebeln, Fisch, Garnelen, Hähnchen, Honig, Bohnen, Reis, Nudeln, Zitronen, Orangen, Aprikosen, Pflaumen, Ananas, Bananen, Ingwer, Tofu

PROBIEREN
Frischen Spinat in einem großen Topf mit etwas Knoblauch und Salz in heißem Öl anschwitzen, bis er zusammenfällt. In einem Dressing aus 2 TL Sesamöl, 2 TL Sojasauce und 2 EL Reisweinessig schwenken; dann mit gerösteten Sesamsamen bestreuen.

HERKUNFT
Subsahara-Afrika

ABBILDUNG II
Wilde Stämme Nr. 2
Weiche Sandfarben und ovale Formen sind wie Sesamsamen; die gleichförmige Geometrie der Abbildungen erinnert an die aufspringenden Fruchtkapseln.

SESAMBAUERN BRAUCHEN EIN perfektes Timing: Die Kapselfrüchte werden in Handarbeit abgeschnitten, getrocknet und enthülst. Die glänzenden, flach-ovalen Samen sind nur drei Millimeter lang und haben ein nussig-erdiges Aroma, das sich beim Rösten noch stärker entfaltet. Je nach Varietät sind sie weiß, rot, golden oder schwarz. Reich an mehrfach ungesättigten Fettsäuren, liefern sie ein vielseitiges Speise- und Backöl.

Sesam ist eine der ältesten Ölpflanzen und wurde schon von den alten Ägyptern und Babyloniern zum Brotbacken verwendet. Sesam ist wohl eines der Wörter, das – abgeleitet von dem ursprünglichen *sesemt* – aus dem Altägyptischen in moderne Sprachen tradiert wurde. Sesam wurde auch in Persien und Indien angebaut und gelangte von dort weiter östlich bis China. In Afrika wurde von Urstämmen im Sudan wild wachsender Sesam gesammelt; mit dem Sklavenhandel kam das Gewürz nach Nordamerika und Mexiko.

Sesamsamen werden den Gewürzmischungen Zatar (Seite 211) und Shichimi Togarashi (Seite 209) beigegeben. Im Mittleren Osten und in Europa werden sie über Brot und Gebäck gestreut und in Süßwaren wie den orientalischen *Halvas* und den indischen *Til Laddus* (Sesambällchen mit Kardamom und Jaggery-Vollrohrzucker) zu einer festen Masse geformt. Die Tahina ist eine ölige Paste aus gerösteten Sesamsamen, die als Dip oder Dressing sowie in Hummus und *Baba Ghanoush* (Püree aus Auberginen und Sesampaste) verwendet wird. In Japan werden die Samen in einer Steingutform (*horoku*) geröstet, über Reis gestreut oder mit Tofu verwendet.

Solanum centrale

Australische Buschtomate

Auch als Kutjera bekannt, ist die Australische Buschtomate in den Sandebenen und Dünenlandschaften West- und Zentralaustraliens heimisch.

PASST ZU
Äpfeln, Käse, Fisch, magerem Fleisch, Zwiebeln, Tomaten, Auberginen, Zucchini, Paprikaschoten, Kartoffeln, Avocados, Akaziensamen

PROBIEREN
Australische Buschtomate als Zutat für ein Tomaten-Chutney verwenden; mit braunem Zucker mischen und vor dem Braten im Backofen Lammfleisch damit einreiben.

HERKUNFT
Australien

ABBILDUNG LXXXV
Elisabethanisch Nr. 3
Beim Dörren nehmen die Früchte die gleichen karamell- bis rötlich-umbrabraunen Farbtöne an – wie bei diesem Muster.

DIE AUSTRALISCHE BUSCHTOMATE, ein Bush Food erster Güte, ist eine kleine Wüstenpflanze mit grau-bronzefarbenen Blättern und blau-gelben Blüten. Die Vitamin-C-reiche Frucht wird seit Jahrtausenden von Aborigines als Grundnahrungsmittel gesammelt und wird heute zunehmend als Gewürz verwendet. Kutjera ist getrocknet, ganz, in Flocken- oder Pulverform erhältlich. Traditionsgemäß werden Buschtomaten frisch, an Spießchen getrocknet oder als gemahlene Zutat in Gemüseklößchen oder Kuchen gegessen. Heute werden die gelben reifen Früchte in der Wildnis gepflückt (der Anbau ist noch Zukunftsmusik), sobald sie am Strauch getrocknet sind. Sie schrumpfen auf Traubengröße zusammen, werden rötlich-braun und duften dann ein wenig nach Schokolade. Als Hommage an ihre zähe Textur heißen sie unter anderem auch *bush raisins* (»Buschrosinen«). Sie duften schokoladig und schmecken zugleich nach Karamell, Tomate und Baumtomate, mit einer Würze, die sich in einen anhaltenden bitteren Nachgeschmack verwandelt.

Kutjera wird zum Aromatisieren von Suppen, Schmortöpfen und Wildgerichten verwendet, als Chutney- und Brotgewürz und für Fischpanaden, vor allem für fetten Fisch wie Lachs und Thunfisch. Oft wird das Gewürz zur Herstellung einer Marinade mit anderen typisch australischen Gewürzen wie Akaziensamen (Seite 18) und Tasmanischem Pfeffer (Seite 166) kombiniert. Es will wohl dosiert sein, ansonsten dominiert der Bittergeschmack.

Syzygium aromaticum

Gewürznelke

Gewürznelken sind hart und wie Nägelchen geformt, daher heißen sie in der Schweiz Nägeli und im Französischen clou de girofle, wortsinngemäß »Nelken-Nagel«.

PASST ZU
Schweineschinken, Hähnchen, Roten Beten, Rotkohl, Möhren, Zwiebeln, Kürbis, Süßkartoffeln, Äpfeln, Orangen, Pflaumen, Rotwein, Schokolade, Ingwer, Zimt, Kardamom

PROBIEREN
Für Glühmost Apfelwein, 1 TL Gewürznelken, einige Pimentkörner, ein paar Zimtstangen, 1 Orangenzeste und etwas Zucker langsam erhitzen und nach Belieben einen großzügigen Schuss Apfelweinbrand hinzugießen.

HERKUNFT
Molukken, Indonesien

ABBILDUNG XLIX
Indisch Nr. 1
Das Muster stellt gewiss Gewürznelken dar.

GEWÜRZNELKEN SIND DIE getrockneten Blütenknospen des immergrünen *Syzygium aromaticum*, des Gewürznelken-Baums. Ursprünglich auf den Molukken in Indonesien – beziehungsweise den Gewürzinseln – heimisch, kann der buschige Gewürznelken-Baum eine Lebensdauer von über hundert Jahren haben und eine Wuchshöhe von 20 Metern erreichen. Die anfangs glänzenden, blassen Knospen verfärben sich zur Reifezeit rot. Sie bestehen aus einem länglichen Fruchtknoten und überlappenden Kelchblättern, die die Blüte als Knospe schützend umhüllen.

Der Gewürznelkenhandel wurde erst von den Portugiesen, dann von den Holländern kontrolliert, bevor im 18. Jahrhundert Pierre Poivre, ein französischer Physiokrat, neben Muskatnuss-baum-Setzlingen auch Gewürznelken als Saatgut nach Mauritius schmuggelte und damit das Monopol aushebelte. Heute sind die Hauptexporteure Sansibar, Madagaskar und Tansania; in Indonesien werden Gewürznelken größtenteils für den heimischen Bedarf produziert.

Mit ihrem warmen, pfeffrigen Kampferaroma und fruchtig-scharfwürzigen Geschmack können Gewürznelken die Mundschleimhaut betäuben; aus diesem Grund wurden sie als Hausmittel gegen leichte Zahnschmerzen verwendet. Sie enthalten das gleiche ätherische Öl wie Zimt – und schon aus einer einzigen getrockneten Knospe kann ganz schnell Öl ausgepresst werden. Gut geeignet für süße wie auch herzhafte Gerichte, sollten Gewürznelken sparsam eingesetzt werden, denn sie sind geschmacklich sehr dominant. Sie sind ein klassisches Apfelkuchengewürz und Food-Autorin Elizabeth David beschreibt auch, wie sie in »außergewöhnlichen kandierten Turiner Walnüssen in Norditalien« verwendet werden. Sie können mit braunem Zucker in die dicke Fettschicht von Kochschinken

ABBILDUNGEN
LXXX
Renaissance Nr. 1 &
LXXX
Hindu Nr. 2
Diese Muster ähneln mit Gewürznelken gespickten Pomandern.

gedrückt werden; des Weiteren eignen sie sich für Salzheringe oder auch für Desserts, Sirups und Konserven und werden gerne zum Würzen von Glühwein verwendet. Die »Nägelchen« sind essenziell für bestimmte Gewürzmischungen wie das französische Quatre Épices (Seite 206), das chinesische Fünf-Gewürze-Pulver (Seite 197) und das indische Garam Masala (Seite 200).

Gewürznelken sind das Weihnachtsgewürz par excellence. Für die grandiose englische Brotsauce – der klassische Begleiter zu Trut-

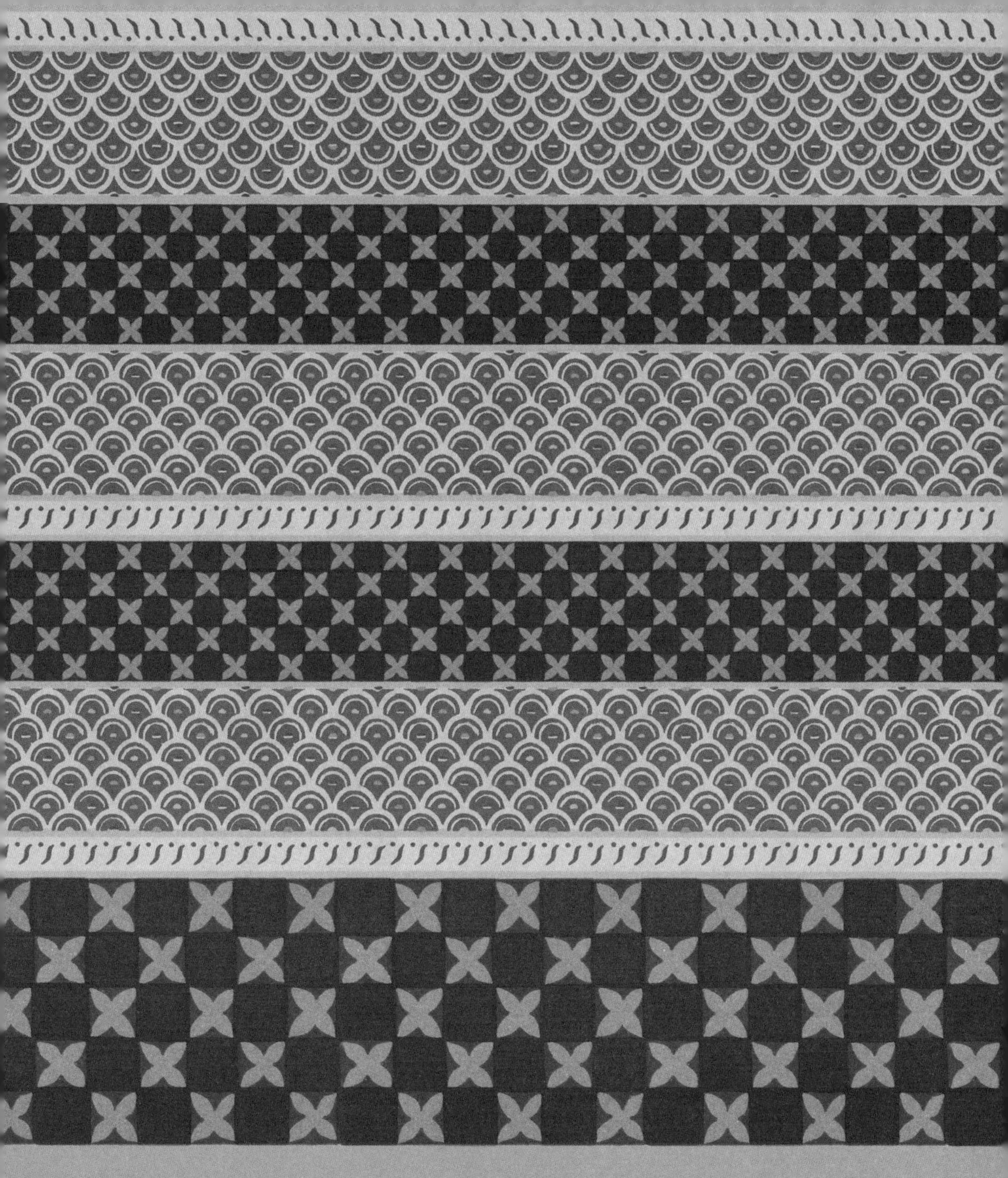

hahnbraten – steckt man sie in eine Zwiebel. Dann lässt man die Zwiebel in Milch ziehen und mit Brotkrumen, Butter und schwarzem Pfeffer weiterköcheln. Gemahlene Gewürznelken werden in Weihnachtspudding und in Hackfleisch verwendet. Auf Madeira wird zur Weihnachtszeit *Carne de vinha d'alhos* (Fleisch mit Wein und Knoblauch) zubereitet; dazu wird Schweine- oder Hähnchenfleisch zusammen mit Kräutern, Orange und Gewürznelken in Weißwein geschmort.

Tamarindus indica

Tamarinde

Dann gibt es da noch die Tamarinde. Tamarinden, dachte ich, sind zum Essen bestimmt, aber dem ist anscheinend nicht so.

Roughing it (Durch dick und dünn),
Mark Twain (1872)

PASST ZU
Hähnchen, Fisch, Schwein, Lamm, Linsen, Pilzen, Erdnüssen, Datteln, Kokosnuss, Reis

PROBIEREN
Für ein schnelles Tamarinden-Chutney 2 EL Tamarindenpaste, 8 EL braunen Zucker, 120 ml Wasser, 1 TL gemahlenen Kreuzkümmel, ½ TL gemahlenen Ingwer und reichlich schwarzen Pfeffer sirupartig einkochen.

HERKUNFT
Madagaskar

ABBILDUNG I
Wilde Stämme Nr. 1
Diese Musterkombination evoziert die Farbe der Tamarindenschoten und ihr ausgeprägtes Zitrusaroma (gegenüber und umseitig).

Mark Twain muss eine schlechte Erntequalität erwischt haben oder vielleicht war der süß-saure Geschmack so neu für ihn, dass er ihn kaum zu schätzen wusste. Die schotenähnlichen Tamarindenfrüchte – die wahrscheinlich in Madagaskar ihren Ursprung haben – wurden in der Antike stark gehandelt; Tamarindenbäume wuchsen nachweislich bereits im 4. Jahrhundert vor Christus im östlichen Mittelmeerraum. Seit Langem werden sie auf dem indischen Subkontinent angebaut und gedeihen an den Ausläufern des Dhofar-Gebirges Omans an dem Meer zugewandten Hängen: Der dürreharte Baum fühlt sich sogar in exponierter Windlage wohl. Arabische Seehändler verglichen das Fruchtmark mit dem von Datteln und nannten den Baum *thamar-i-hindi* – wörtlich übersetzt die »Dattelpalme Indiens«.

Tamarindenbäume entwickeln blassgelbe Blüten, die zu geschwungenen, knubbeligen Samenhülsen heranreifen. Diese enthalten ein klebrig-säuerliches Fruchtmark, das eine Handvoll harte Böhnchen umhüllt. Die Schoten werden gepflückt, wenn sie vollreif und (innen) rostbraun sind. Die brüchigen Schalen werden weggeworfen und das Fruchtmark wird entweder zu einer homogenen Masse (»Cakes«) gepresst bzw. zu Paste oder Sirup weiterverarbeitet.

Das Gewürz wird in der indischen und südostasiatischen Küche auf die gleiche Art wie Zitronensaft oder Gewürzsumach (Seite 150) als Säuerungsmittel verwendet. Die Tamarinde ist süß-sauer im Geschmack, leicht fruchtig und fast geruchlos. Ihr hoher Kalziumgehalt ist für eine Frucht ungewöhnlich. Sie enthält auch jede Menge Mineralien, Vitamine und Ballaststoffe. Ihre Säure hängt von der Anbauregion ab; thailändische Tamarinde ist milder als vietnamesische.

Tamarinde wird zum Säuern von Currys, Chutneys, Marinaden, Konserven und Pickles verwendet. Sie ist eine Zutat in der

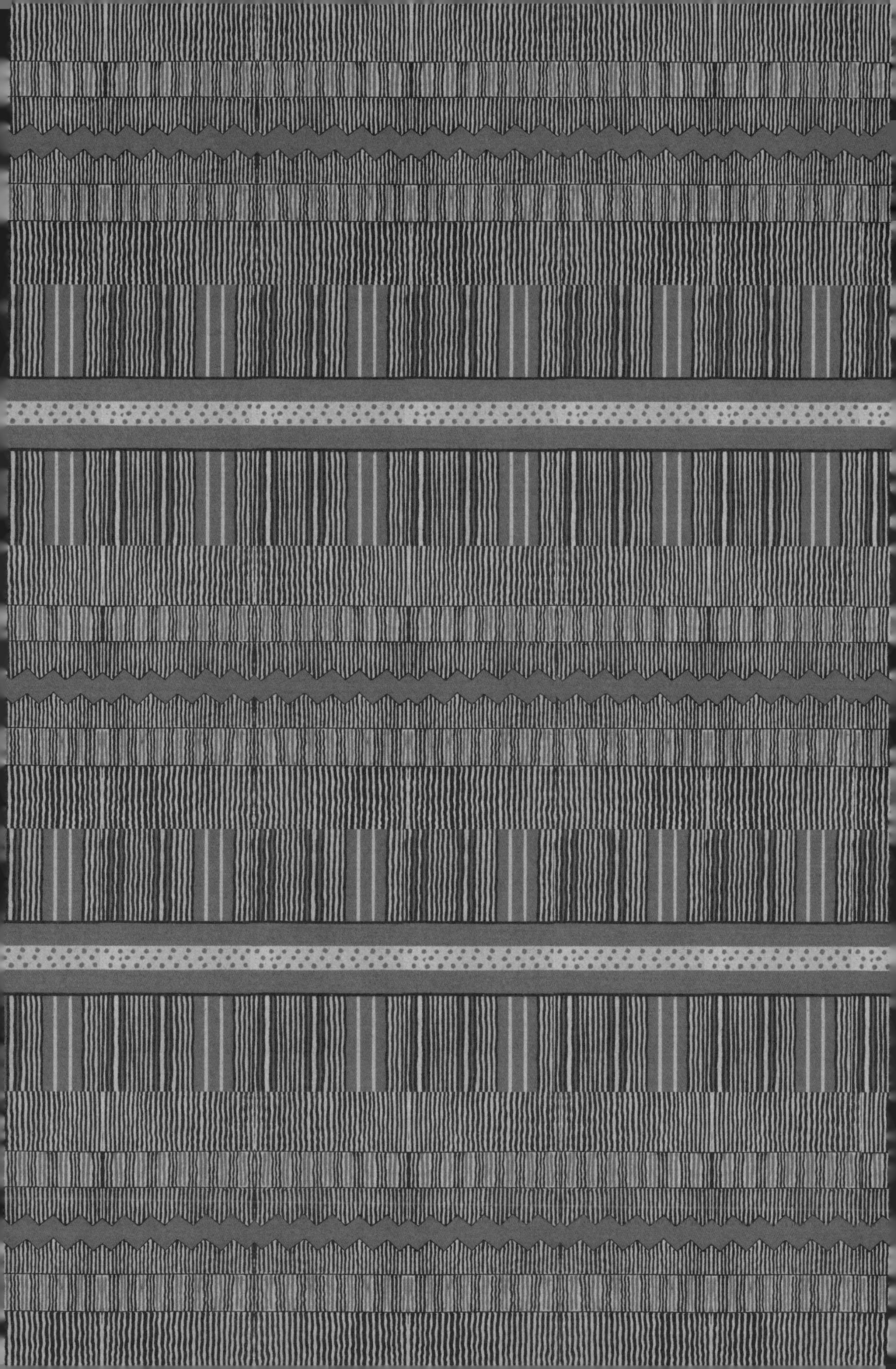

thailändischen scharf-sauren *Tom Yam*-Suppe und kann *Pad Thai* (gebratenen Reisnudeln) beigegeben werden. In Indien wird sie zum Aromatisieren von Reisgerichten und *Chaats* (herzhaften Appetithäppchen) verwendet. In der Karibik wird das Fruchtmark mit Zucker zu süßen Frikadellen geformt. In Guatemala und Mexiko wird sie für ein kohlensäurehaltiges Getränk verwendet. Tamarinden und Süßkartoffeln werden auf den Philippinen zu Gemüseklößchen bzw. *Champoy* verarbeitet.

Neben Melasse und Sardellen ist Tamarindenextrakt eine Zutat in der Worcestershiresauce. Bananenketchup – eine Erfindung, die der philippinischen Lebensmitteltechnikerin und Kriegsheldin Maria Orosa e Ylagan zugeschrieben

wird – ist auf den Philippinen ein beliebtes Würzmittel aus Tamarindenpaste, zerdrückten Bananen, Rosinen, Zucker, Apfelessig, Knoblauch und weiteren Gewürzen wie Cayennepfeffer (Seite 54), Piment (Seite 128) und Muskatnuss (Seite 120). Es hat von Natur aus eine edle, gelbe Farbe; allerdings kann es rot gefärbt werden, um dem vertrauteren Tomatenketchup zu ähneln. Natürlich ist der Geschmack ein ganz anderer! Hingegen ist es für sich allein genommen ein meisterhaftes Relish und schmeckt gut zu Wurstaufschnitt, gebratenem Fisch und Käse.

Tasmannia lanceolata

Tasmanischer Pfeffer

Tasmanischer Pfeffer, auch als Bergpfeffer bekannt, ist ein großer immergrüner Strauch bzw. Baum, der ursprünglich aus dem milden Klima des tasmanischen Hochlands sowie aus dem australischen Victoria und New South Wales stammt.

PASST ZU
Wild, Rind, Lamm, Kürbis, Wurzelgemüse, Thymian, Akaziensamen, Zitronenmyrte, Polenta, Reis, Kartoffeln

PROBIEREN
Tasmanischen Pfeffer in eine Pfeffermühle geben und wie schwarzen Pfeffer verwenden.

HERKUNFT
Australien

ABBILDUNG LXXXV
Elisabethanisch Nr. 3
In diesem Muster sind Beeren, dunkelgrüne Blätter und brodelnd-betäubende Schärfe vereint.

DIE DUNKELGRÜNEN BLÄTTER des Tasmanischen Pfefferbaums sind würzig, warm und holzig in Geschmack und Aroma und haben Anklänge von Zitrus. Blätter und Beeren werden als Gewürz verwendet. Die blauschwarzen Beeren schmecken anfangs süßer und intensiver und haben im Abgang eine leicht betäubende Schärfe (wie Szechuanpfeffer, Seite 184). Die duftenden Tasmanischen Pfefferbäume können eine Wuchshöhe von fünf Metern erreichen. Zur Reifezeit verwandeln sich die hellgelben, rispenartigen Blütenstände in pralle, dunkelviolette Früchte.

Bergpfefferblätter und -beeren sind roh und getrocknet erhältlich. In Australien verleihen sie Currys, Käse, Salatdressings, Polenta, Pfannkuchen und Gnocchi ein würziges Bush-Food-Aroma; ebenso erhalten erlesene Weine und Spirituosen ein spezielles Buscharoma. Das getrocknete Blatt ist gemahlen erhältlich und wird oft anstelle von schwarzem Pfeffer verwendet. Sowohl Blätter als auch Beeren sind schärfer als schwarzer Pfeffer; also besser vorsichtig dosieren! Tasmanischer Pfeffer verträgt sich gut mit anderen australischen Buschgewürzen wie Akaziensamen (Seite 18) und Zitronenmyrte (Seite 38). Mit Thymian vermischt, wird er als Rub für typisch australisches Fleisch wie Emu- und Kängurufleisch verwendet. Die Beeren eignen sich gut für Schmorgerichte wie Fleisch- und Bohneneintöpfe, und es gibt sogar ein Bergpfeffereis. In Japan wird Tasmanischer Pfeffer zur Herstellung von Wasabipasten verwendet.

Theobroma cacao

Kakaokernbruch

Eines Tages wird ihn ein Koch bestimmt zu gebratenen Wachteln servieren.

Il Cioccolato, Francesco Arisi (1736)

PASST ZU
Orangen, Bananen, Blaubeeren, Zimt, Vanille, Kaffee, Rahm, Nüssen, Oliven, Ente, Lamm, Rind, Hähnchen

PROBIEREN
Kakaokernbruch bei niedriger Backofentemperatur rösten, dann einem Müsli beigeben oder zum Garnieren von Dessertcremes verwenden.

HERKUNFT
Mittelamerika und Mexiko

ABBILDUNG LXXXI
Renaissance Nr. 7
Die Farbe von Schokolade und mexikanischer *Mole*, mit Zacken und Spitzen der Azteken und Mayas als farbliche Kontrapunkte.

Der Tag ist gekommen: Neulich sah ich ein Rezept für gegrillte Wachteln mit Rosenblättern und Bitterschokolade, wie von dem Dichter Francesco Arisi zu Beginn des Siegeszugs des Kakaos in Europa vorhergesagt. In Mittelamerika wurden Kakaobäume von den Mayas und später von den Tolteken und Azteken angebaut. Bei ihnen galt die Trinkschokolade – womöglich das berühmteste Derivat, ursprünglich extrem dickflüssig und kalt getrunken – als Lebenselixier für Krieger und die Oberschicht.

In Mittelamerika und Mexiko heimisch, bringt der immergrüne Kakaobaum lange, konisch geformte Samenkapseln hervor: das Rohmaterial für Schokolade. Das Rösten, Fermentieren und Zermahlen verwandelt die Kakaobohnen zu Kakaokernbruch, aus denen Schokolade hergestellt wird.

Knusprig-schokoladiger Kakaokernbruch hat eine natürliche Bitterkeit; deshalb eignet er sich gut für herzhafte und süße Gerichte. Hart wie Mandeln, kann der Bruch mit dem Messer gehackt oder mit Mörser und Stößel grob gemahlen und dann vor dem Braten oder Grillen mit getrockneten Chiliflocken, Knoblauch, Zwiebel und Salz vermischt zum Einreiben von Fleisch verwendet werden. Kakaokernbruch harmoniert auch gut mit dunklen Oliven in Salaten und Pestos und kann Milch, Sahne oder Puddings beigegeben werden, um das schokoladige Aroma durchziehen zu lassen. Kakaomasse spielt in herzhaften Gerichten eine wichtige Rolle: Mexikaner verwenden sie für *Mole*, eine komplexe, würzige Sauce, die oft zu Truthahn gereicht wird. In Spanien wird sie Wild- und Rindfleischeintöpfen hinzugefügt. In Italien wiederum kommt sie in die *Salsa agrodolce*, eine Sauce, die zu gebratenem Wildschwein und Feldhase serviert wird.

Trachyspermum copticum

Ajowan

Ajowanfrüchte haben eine ovale Form und erinnern an Kümmelsamen und Kreuzkümmel; das Aroma hingegen erinnert eher an Anis.

PASST ZU
Fisch, Meeresfrüchten, Hähnchen, grünen Bohnen, Spinat, Tomaten, Kartoffeln, Möhren, Kohl, Blumenkohl, Koriander, Reis, Bohnen, Linsen

PROBIEREN
Ein paar Ajowanfrüchte und 1 Prise Salz vor dem Einschlagen, Aufrollen und Ausbacken über hausgemachte *Parathas* (indische Brotfladen) streuen.

HERKUNFT
Südindien

ABBILDUNG LV
Die Musterreihen scheinen alle Aspekte von Ajowan aufzuzeigen: Samen, Blätter und Blütendolden.

AJOWAN, EINE KRAUTIGE Gewürz- und Heilpflanze, die ursprünglich aus Südindien stammt, gehört zur Familie der Doldenblütler (*Apiaceae*). Heute wächst er auch in Pakistan, Afghanistan, im Iran und in Ägypten. Ajowan, auch als Bischofsgras oder Königskümmel bekannt, erreicht eine Wuchshöhe von bis zu 90 Zentimetern. Die kleinen ovalen, gräulich-grün gestreiften Früchte sind bitter und scharf wie eine Kombination aus Anis (Seite 132), Oregano und schwarzem Pfeffer (Seite 139). Wenn man die Samen kaut, wird der Mund aufgrund ihres Thymolgehalts pelzig und taub. Oft werden sie mit Liebstöckelsamen verwechselt, die ganz ähnlich nach Thymian schmecken.

Ajowan wird seit jeher von Ayurveda-Ärzten zur Appetitanregung, Verdauungsförderung und Behandlung von Fieber sowie gegen Erkrankungen des Verdauungstrakts angewendet. In der Küche komplementiert Ajowan stärkehaltige Lebensmittel wie Brot, Gebäck und herzhafte Snacks sowie (aufgrund seiner entblähenden Wirkung) Wurzelgemüse und Bohnen. In Ghee angebraten oder trocken geröstet, entfaltet er sein vielschichtiges Aroma und seinen vollen Geschmack. In Afghanistan aromatisiert Ajowan Brot und Kekse, Pickles, gekochtes Wurzelgemüse und Chutneys. In Indien wird er in der Gewürzmischung *Vaghar* verwendet, die das Aroma von Linsengerichten verstärkt. Auch Fladenbrot kann mit Ajowan gewürzt werden; im indischen Bundesstaat Gujarat wird er für *Bhajias* bzw. *Pakoras* (Frittiertes) verwendet. Ajowan ist manchmal auch in indischen Gewürzmischungen wie *Chat Masala* und Panch Phoron (Seite 205) vertreten, während er im Westen als Gewürz für den traditionellen indischen Snack namens Bombay-Mix bestens bekannt ist.

Trigonella caerulea

Schabzigerklee

Schabzigerklee stammt von den Blütenblättern einer georgischen Pflanze namens Utskho suneli *und bedeutet »seltsamer und duftender Geruch aus weiter Ferne«.*

PASST ZU
Rind, Lamm, Hähnchen, Walnüssen, Käse, Kohl, Auberginen, Paprikaschoten

PROBIEREN
Mayonnaise mit gemahlenem Schabzigerklee, getrockneten Chiliflocken, frisch gehacktem Koriander und etwas gemahlenem Kreuzkümmel würzen und zu gebratenen Auberginen servieren.

HERKUNFT
Georgien

ABBILDUNG XII
Ninive & Persisch Nr. 1
Die Wiederholungssequenz, die aus einem kleinen Musterelement erzeugt wurde, ähnelt in Form und Farbe der Pflanze und ihren Blüten bzw. dem Bockshornkleepulver.

Von einer wild wachsenden Gebirgspflanze aus dem georgischen Kaukasus stammend, hat Schabzigerklee ein milderes Aroma als der handelsüblichere Bockshornklee (Seite 174). Die kompakte, krautige Pflanze mit ihren lanzettlichen Blättern und hellblau-violetten Blüten erreicht eine Wuchshöhe von bis zu einem Meter. Die Blütenkapseln sind kurz und enthalten einige braune Samen. Beides wird zu aromatischem Schabzigerkleepulver gemahlen, das nach frisch geerntetem Heu riecht. Das Gewürz schmeckt nicht so bitter wie gewöhnlicher Bockshornklee und erinnert sogar ein wenig an verbrannten Zucker. Die Blätter werden zu kulinarischen Zwecken ebenfalls getrocknet.

Das Gewürz ist jenseits der Grenzen Georgiens kaum bekannt. Beim langsamen Garen entfaltet sich sein volles Aroma, weswegen es häufig für Eintöpfe und Ragouts verwendet wird. Es spielt auch eine Rolle in der Gewürzmischung Chmeli Suneli (Seite 204), zusammen mit Koriander (Seite 76), Knoblauch und getrockneten Ringelblumen. Chmeli Suneli wird als Fleisch-Rub verwendet, vor allem für Fleischspieße wie *Mtsvadi* und in Hackbällchen. Zu finden ist Schabzigerklee auch in dem Gewürzsalz *Svanuri Marili* aus der Provinz Swanetien und in georgischen Klassikern wie gefüllte Paprika, *Tolma* (Weinblattrouladen) und Weißkohl mit Walnüssen und Gewürzen. In Georgien wird Schabzigerklee oft mit orangefarbenen Ringelblumen – auch »Safran des armen Mannes« genannt – kombiniert, um Gerichten mehr geschmackliche Tiefe und Prägnanz zu verleihen.

Das Gewürz hat sich außerhalb Georgiens kaum durchgesetzt. In der Schweiz wird es für den Schabziger (Kräuterkäse) verwendet. In den südlichen Alpen setzt man es Roggenbrot zu – oft auch in Kombination mit Fenchelsamen (Seite 100) oder Kümmelsamen (Seite 60).

Trigonella foenum-graecum

Bockshornklee

Bockshornklee, das Dienstagsgewürz, wenn die Luft so grün ist wie Moos nach dem Regen.

DIE HÜTERIN DER GEWÜRZE,
CHITRA BANERJEE DIVAKARUNI (1997)

PASST ZU
Fisch, Lamm, Rind, Bohnen, Erbsen, Spinat, Kartoffeln, Reis, Tomaten, Zitronen, Limetten, Koriander, Kreuzkümmel, Peperoni, Kurkuma, Sahne

PROBIEREN
Gekochte Erbsen mit etwas Sahne und frischem Bockshornklee abrunden; einer herzhaft-würzigen Tomatensauce getrocknete Bockshornkleeblätter beigeben.

HERKUNFT
Asien und Südosteuropa

ABBILDUNG XIX
Griechisch Nr. 5
Diese Anordnung von Mustern scheint die Farben getrockneter Bockshornkleesamen zu wiederholen – mit Motiven, die ihren charakteristischen Blattformen nachempfunden sind.

MIT EINEM BOTANISCHEN Namen, der »dreikantiges griechisches Heu« bedeutet, war Bockshornklee als Futterpflanze bestens bekannt in Europa, wo er im Mittelalter auch als Mittel gegen Haarausfall empfohlen wurde. Er war einer der Bestandteile von *kyphi* (»heiliger Rauch«), einem altägyptischen Weihrauch, der als Leichenbalsam und für Ausräucherungen verwendet wurde.

Bockshornklee kann in Form von frischen Blättern, ganzen Samen, Sprossen oder Paste konsumiert werden. Seine gelben Blüten bilden schmale, hornförmige, hellbraune Samenhülsen, die reif geerntet werden. Die Samenkörner werden getrocknet und bei Verwendung als Paste mehrere Stunden in Wasser eingeweicht. Die frischen Blätter erinnern vom grasigen Geschmack her an gemähtes Heu, haben adstringierende Noten und riechen nach süßem Currypulver mit einem latenten Bittergeschmack.

Frische Bockshornkleeblätter werden in Indien mit Kartoffeln, Spinat oder Reis gekocht, während die getrockneten Blätter Bratensaucen beigegeben werden. Auch in dem alten persischen Eintopf *Ghormeh Sabzi* (»grüner Eintopf«) sind sie eine wesentliche Zutat. Die gelb-braunen, stoppeligen Samenkörner werden zum Würzen indischer Currys, Pickles und Chutneys verwendet sowie als Bestandteil der Gewürzmischung Panch Phoron (Seite 205). Durch langsames Erhitzen entfalten sie etwas mehr Aroma (oder werden auch sehr bitter). In Kerala werden die Samen mit Fisch geröstet und in Pickles verwendet; in Äthiopien sind sie Brotzutat und Bestandteil der Gewürzmischung Berbere (Seite 194); im Jemen wird eingeweichter Bockshornklee zu *Hilbeh* (würzige Tomatenpaste) weiterverarbeitet und zu geröstetem Fladenbrot gereicht. Mit Kokosmilch, Peperoni und Kurkuma gemischt, ist Bockshornklee auch in *Kiri Hodi*, einer Art sri-lankischer Velouté, vertreten.

Vanilla planifolia

Vanille

Vanille besteht aus bräunlich gefärbten, angenehm duftenden Schoten; diese Hülsen sind platter und länglicher als unsere (Schnitt-) Bohnen und überziehen die kleinen, schwarz glänzenden Samen mit einem sinnlichen Stoff.

NATURAL HISTORY OF CHOCOLATE, JOHN BROWN (1730)

PASST ZU
Äpfeln, Melonen, Pfirsichen, Birnen, Rhabarber, Erdbeeren, Brombeeren, Himbeeren, Ananas, Aprikosen, Feigen, Kirschen, Bananen, Orangen, Spinat, Tomaten, Süßkartoffeln, Kürbis, Fisch, Meeresfrüchten, Sahne, Schokolade, Kaffee, Nüssen, Gewürznelken, Anis, Zimt, Muskatnuss, Rosen, Safran, Kardamom, Eiern

PROBIEREN
Beim Einkochen von Konfitüre eine aufgeschlitzte Vanilleschote dazugeben – eignet sich besonders gut für Pfirsich-, Aprikosen- und Erdbeekonfitüre; 300 ml flüssige Sahne mit 2 EL Puderzucker und 1 TL Vanilleextrakt schlagen, bis sie beginnt, weiche Spitzen zu bilden; für eine luftig-leichte Variante zusätzlich Eischnee unterheben.

HERKUNFT
Mittelamerika

VANILLE, EINE IN Tropenwäldern wild wachsende Orchideenrebe, stammt ursprünglich aus Mexiko. Heute wird sie in Madagaskar, Indonesien, Tahiti und Guadeloupe angebaut. Die Vanilleblüten sind nur vormittags für wenige Stunden geöffnet und die Pollen werden durch Kolibris, Meliponas (stachellose Bienen) oder von Hand übertragen. Die gelblich-grünen, schotenartigen Fruchtkapseln, die nach der Blüte innerhalb eines Monats heranreifen, werden kurz vor Vollreife geerntet. Dann werden die Schoten im »Bourbonverfahren« in heißem Wasserdampf blanchiert und bis zu sechs Monate zum Fermentieren luftdicht gelagert. Im Oxidationsprozess werden die Schoten schwarz und wachsig, und beim »Schwitzen« kann sich eine feine weiße Kristallschicht, der sogenannte Vanille-Raureif bzw. John Browns »sinnlicher Stoff« bilden, der äußerst begehrt ist. Zum Kochen werden die Schoten meist längs aufgeschlitzt, damit die winzigen, klebrigen Samen mit einer scharfen Messerspitze herausgekratzt werden können. Sobald ihre wertvollen Inhaltsstoffe freigesetzt sind, können die leeren Hülsen in einer Zuckerdose »vergraben« werden, damit der Zucker das Vanillearoma annimmt und zum Backen oder Bestreuen von Desserts und Obst verwendet werden kann.

Die Entdeckung der Vanille durch Europäer ist eine weitere dieser pikanten Abenteuergeschichten, die mit Blutvergießen einhergingen. 1519, als der Aztekenkönig Moctezuma II. den spanischen Konquistador Hernán Cortés willkommen hieß, den er als Gesandten eines gefiederten Schlangengottes wähnte, kredenzte er ihm eine schaumige, dunkle Trinkschokolade mit Vanille und Honig, die zuvor in Schnee gekühlt worden war. Cortés nahm Moctezuma im Gegenzug zu diesem köstlichen Willkommensgruß in Geiselhaft

ABBILDUNG XIV
Ninive & Persisch Nr. 3
Wie in Reihen angeordnete Vanilleschoten (vorhergehende Seite und oben).

und konsolidierte damit seine Herrschaft über das Land. Es war nur eine Frage der Zeit, bis dann schließlich Vanille, die seit über 500 Jahren in Mittelamerika angebaut worden war, den spanischen Adel erreichte, der das Gewürz auf den Namen Vanille taufte – was »kleine Schote« bedeutet.

Nach der europäischen Entdeckung von Vanille stieg die Nachfrage nach den Schoten rasant an, jedoch sollte eine umfassende Produktion erst 1841 möglich werden, als der zwölfjährige Edmond Albius, Sohn einer Sklavin, der vom Plantagenbesitzer adoptiert wurde, eine rentable Methode der manuellen Bestäubung von Gewürzvanille erfand. Da Vanille so teuer war, entstand auch ein Wettlauf um die Herstellung einer günstigeren, künstlichen Bezugsquelle von Vanillin, dem hauptsächlichen Aromastoff. Deutschen Chemikern gelang es 1874, den Inhaltsstoff aus Rinden von

Koniferen zu gewinnen. Auch das ist immer noch echtes Vanillin. Doch das feine Bukett natürlich wachsender Vanille bleibt unschlagbar. Mit ihrem berauschenden, gehaltvoll-milden Geschmack und Anklängen von süßlichem Parfüm und Süßholz eignet sich Vanille für Süßspeisen und natürlich besonders für Dessertcremes, Puddings und bekanntermaßen für Speiseeis. Oft dient sie als Aromaverstärker, z. B. für Schokolade, Kaffee, Mandeln und warme Gewürze wie Zimt und Mustkatnuss. Vanille ist eine klassische Duftnote für viele Früchte – sprich für Erdbeeren, Äpfel, Pfirsiche, Birnen, Rhabarber und Brombeeren.

Vanille ist unlängst zu einer modernen Zutat auch für herzhafte Speisen geworden – vor allem in Rezepten für Hummer und Jakobsmuscheln. Auch Knollengemüse wie Kürbissen oder Süßkartoffeln verleiht sie eine unerwartete Note.

Xylopia aethiopica

Selimskörner

Dem botanischen Namen zufolge ursprünglich in Äthiopien, aber auch in Kenia, Nigeria, Senegal, Uganda, Tansania und Ghana heimisch, sind Selimskörner die Beeren und Schoten eines strauchigen Baums aus der Familie der Annonengewächse.

PASST ZU
Lamm, Rind, Geflügel, Fisch, Bohnen, Tomaten, Zucchini, Spinat, Fenchel, Kürbis

PROBIEREN
Gebratenes Gemüse wie Zucchini, Tomaten und Kürbis mit einer hauchdünnen Prise gemahlener Selimskörner bestreuen.

HERKUNFT
Äthiopien, Senegal, Kenia, Nigeria, Uganda, Tansania

ABBILDUNG LXVII
Afrikanische Muster evozieren die aromatischen Fruchtkapseln von Selimskörnern und afrikanische Landschaftsfarben.

BIS ZU ACHT Beeren sind in jeder geschwungenen, dunkelbraunen Samenkapsel eingeschlossen. Diese können bis zu fünf Zentimeter lang werden. Die aromatischen Hülsen werden genauso häufig verwendet wie die Körner und bringen einen Hauch von Kubebenpfeffer (Seite 135) in die Gewürzmischung. Selimskörner, wahrscheinlich nach den gleichnamigen, osmanischen Sultanen benannt, kennt man auch als Senegalpfeffer, Kanipfeffer, Mohrenpfeffer oder, in der Sprache der senegalesischen Wolof, als *djar* – so steht es in der Getränkekarte unter den Zutaten für Café Touba, einer würzigen Kaffeespezialität mit Selimskörnern und Gewürznelken. Scharf, moschusartig, harzig und fast muskatnussähnlich im Aroma, ist das Gewürz etwas milder als Pfeffer, weswegen es manchmal auch als Pfefferersatz verwendet wird.

Selimskörner werden oft mit Paradieskörnern (Seite 26) verwechselt; allerdings gehören letztere zur Familie der Ingwergewächse. In einigen Gerichten können sie untereinander ausgetauscht werden. Zermörserte Selimskörner können – mit oder ohne Bouquet garni (Kräutersträußchen) – Eintöpfen und Suppen beigegeben werden. Vor dem Servieren werden sie dann wieder herausgenommen. Im Senegal werden die unreifen grünen Beeren vor dem Zerstoßen geräuchert und unter Fischmarinade gemischt; daher der Name Senegalpfeffer. In Ghana werden Selimskörner für eine scharfwürzige Pfeffersauce verwendet, in Nigeria wiederum für eine Pfeffersuppe. Das senegalesische Risotto *Dakhine* wird mit Reis, Lamm, Limette und einer Gewürzmischung mit Selimskörnern zubereitet. *Jollof* ist ein herzhafter westafrikanischer Eintopf mit Reis, würzigen Tomaten, Paprika (Seite 52) und Selimskörnern.

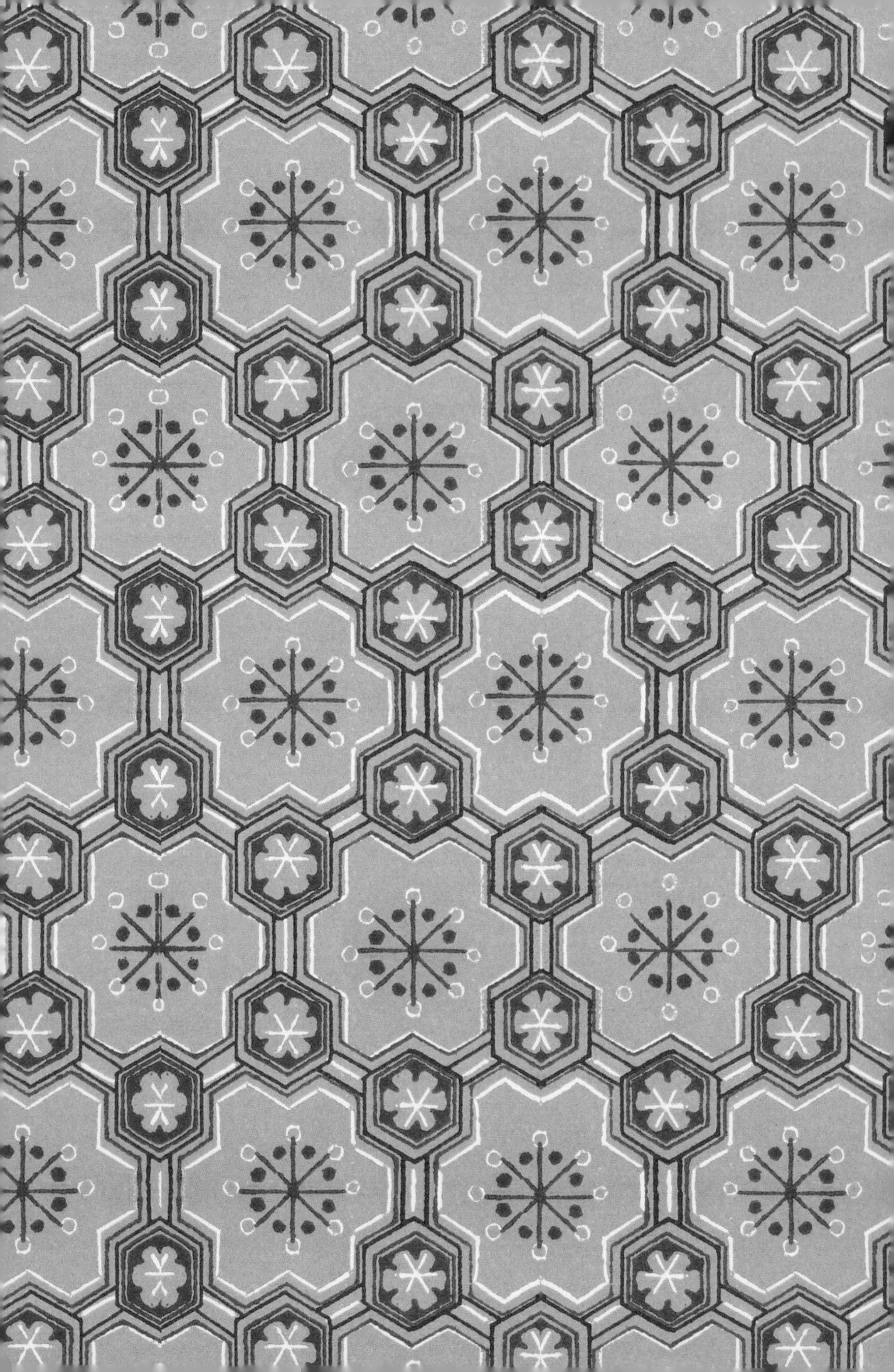

Zanthoxylum piperitum

Sanshopfeffer

Sanshopfeffer ist ein säuerlich-pfeffriges Pulver, das aus den orange-roten Beeren des Japanischen Pfefferbaums gewonnen wird.

PASST ZU
Geflügel, Wild, Schwein, Rind, Lamm, fettem Fisch, Nudeln

PROBIEREN
Fleisch aller Art und Fisch vor dem Grillen mit Sanshopfeffer würzen.

HERKUNFT
China und Japan

ABBILDUNG LIX
Chinesisch Nr. 1
Stacheln, Samen und Schärfe des Sanshopfeffers kommen alle in diesem Muster zum Ausdruck.

DIESER SOMMERGRÜNE DORNENSTRAUCH wächst in Japan von Hokkaido bis Kyūshū und in bestimmten Teilen des koreanischen und chinesischen Festlands sowohl wild als auch in Gärten. Für die Herstellung des Gewürzes werden die orangefarbenen Beeren gepflückt und dann an der Sonne getrocknet, bevor die schwarzen Samen herausgelöst werden und die verbleibende Schale gemahlen wird. Gemahlener Sanshopfeffer kann eigenständig oder mit schwarzem Pfeffer gepaart verwendet werden. Grüner Sanshopfeffer – hergestellt aus unreifen grünen Beeren – wird blanchiert und gesalzen und dann üblicherweise als Zutat für *Tsukudani* verwendet, einer japanischen Beilage aus Muscheln oder Rindfleisch.

Sanshopfeffer schmeckt herber, schärfer und hat ein ausgeprägteres Zitrusaroma als der eng verwandte Szechuanpfeffer (Seite 184) – jedoch wirkt er wie Szechuanpfeffer in der Mundhöhle betäubend. Chemisch erinnern seine Inhaltsstoffe an die Alkamide (Sanshoole) im Szechuanpfeffer. Verwendet wird er zum Scharfwürzen von Fleisch und Geflügel. Üblicherweise wird er auch über gegrillten Aal gestreut. Dieses Gewürz ist einer der sieben Hauptbestandteile der japanischen Gewürzmischung Shichimi Togarashi (Seite 209), auch als Sieben-Gewürze-Pulver bekannt, mit der Misosuppe, Nudeln, Pickles und Hähnchen-*Teriyaki* (mariniertes und gebratenes Hähnchenfleisch) aromatisiert werden. Sanshopfefferblätter – auf Japanisch *kinome* (»Baumknospe«) – haben einen Geschmack, der an Minze und Basilikum erinnert, und werden gerne zum Garnieren verwendet. Grüner Sanshopfeffer wird mit Sardinen in Sojasauce zu *Sansho chirimen jako* weiterverarbeitet, einem beliebten Würzmittel in Kyōto, wo die Pfefferbäume rund um den Reiki-Berg Kurama wachsen.

Zanthoxylum simulans

Szechuanpfeffer

In Food and Cooking *(1984), einem Standardwerk der Küchenwissenschaft, zieht Harold McGee bei Szechuanpfeffer einen Vergleich zu »Zungenkontakt mit Anschlussklemmen einer Neun-Volt-Batterie«.*

PASST ZU
Ente, Hähnchen, Wild, Schwein, Rind, fettem Fisch, Muscheln, Pilzen, Tofu, Nudeln, Kartoffeln, grünem Blattgemüse, Ingwer, Peperoni, Zitronengras

PROBIEREN
Für Kartoffeln nach Szechuan-Art geschälte Kartoffeln in sehr dünne Stifte schneiden. In einem Wok etwas Öl erhitzen und einige Szechuanpfefferkörner anbraten, bis sie ihr Aroma entfalten. Zusammen mit 1 Prise Chiliflocken und etwas Salz in die Kartoffeln geben, kurz schwenken und anbraten, bis sie zart gegart sind.

HERKUNFT
China und Japan

ABBILDUNG LXI
Chinesisch Nr. 3
Die Farbe und Form von Szechuanpfefferschoten, auf unverwechselbar chinesische Art umgesetzt.

SZECHUANPFEFFER, URSPRÜNGLICH IN der chinesischen Region Szechuan heimisch, ist eine der Zutaten des chinesischen Fünf-Gewürze-Pulvers (Seite 197). Die kleinen Beeren der Szechuanpfefferpflanze (*Zanthoxylum simulans*) werden an der Sonne getrocknet, bis sie sich zu rötlich-braunen Pfefferkörnern verfärben. Szechuanpfefferkörner werden stets drei bis vier Minuten trocken geröstet, damit ihre aromatischen Öle vor dem Feinmahlen freigesetzt werden. Auch als chinesischer Koriander bekannt, hat Szechuanpfeffer ein wärmendes, holziges Aroma und bringt ein gaumenbetäubendes, kribbelndes Gefühl in den Mund. Er schmeckt insbesondere gut zu weißem Fleisch und Braten (Ente und Schwein) und zu kurz angebratenem Gemüse. Er harmoniert auch gut mit Sternanis (Seite 110) und Ingwer (Seite 186) und wird in den Himalajaküchen Nepals, Tibets und Bhutans verwendet – so etwa in *Momo* (gefüllte Teigtaschen mit Gemüse und Yak-Hackfleisch).

Verwandte Arten sind u.a. der Indische Szechuanpfeffer (*Zanthoxylum rhetsa*), auch bekannt als Zitronenpfeffer, der Chinesische Szechuanpfeffer (*Zanthoxylum alatum*), der grün blühende Asiatische Pfefferstrauch (*Zanthoxylum schinifolium*), der vor allem in der koreanischen Küche und in der nordchinesischen Provinz Hebei verwendet wird, und *Zanthoxylum planispinum* (Gelbbaum), dessen Beerenschalen als Gewürz verwendet werden.

Zingiber officinale

Ingwer

Einer Fischeranekdote nach »beißen Fische scharenweise an«, wenn der Saft gekauten Ingwers auf den Angelköder getupft wird.

PASST ZU
Fisch, Muscheln, Rind, Schwein, Hähnchen, Kohl, Möhren, Auberginen, Tomaten, Zwiebeln, Süßkartoffeln, Kürbis, Roten Beten, Knoblauch, Rhabarber, Pflaumen, Äpfeln, Birnen, Mangos, Mandeln, Schokolade, Kardamom, Gewürznelken, Zitronen, Orangen, Honig

PROBIEREN
Für Tee aus Ingwer und Honig 250 ml Wasser und 1 fein gehackte Ingwerknolle in einen kleinen Topf geben und aufkochen; 3–4 Minuten ziehen lassen, dann in eine Tasse abgießen und mit Honig süßen; nach Belieben mit 1 Spritzer Zitronensaft abschmecken.

HERKUNFT
Südostasien

ABBILDUNG LX
Chinesisch Nr. 2
Die knorrige Ingwerwurzel und ihr beißender Geschmack werden in diesem Mustermix ausgedrückt (gegenüber und umseitig).

INGWER IST DER Wurzelstock einer bambusähnlichen Pflanze, die in Südostasien beheimatet ist. Seit über drei Jahrtausenden ist Ingwer ein wichtiges Gewürz, das laut Aufzeichnungen in Sanskrit-Chroniken seit der Antike in der indischen Küche Verwendung fand, und bekanntlich spielte er schon auf dem Speiseplan des Philosophen Konfuzius eine zentrale Rolle. Die Römer importierten ihn nach Europa und hinterließen damit eine anhaltende Wertschätzung für Ingwer. Vor allem im Mittelalter war Ingwerpulver so alltäglich wie Pfeffer. Die Hälfte der Weltproduktion an frischem Ingwer wird heute an Indiens Malibarküste erzeugt, gefolgt von China, Nepal, Nigeria und Thailand.

Gehaltvoll und wärmend-holzig im Geruch und brennend scharf im Geschmack, hat dieses Gewürz echte Power. Der charakteristische Ingwergeschmack kommt von dem neutralen Harz namens Gingerol, das auch in verwandten Gewürzen wie Galgant (Seite 28) und Kurkuma (Seite 86) enthalten ist. Die feingliedrigen Rhizome – aufgrund ihrer Form einst »Radix« oder »Hand« genannt – werden zwei bis fünf Monate nach dem Pflanzen ausgegraben. Frischer Ingwer wird vor dem Einlagern ein paar Tage getrocknet oder kann zu Sirup eingekocht, getrocknet und gezuckert werden. Der zum Trocknen bestimmte Ingwer wird zehn Monate nach der Pflanzzeit geerntet, wenn er ganz ausgewachsen und innen noch faseriger ist.

In den Ländern, wo Ingwer am weitesten verbreitet ist, wird er hauptsächlich frisch verwendet. In China wird er zu Fisch, Meeresfrüchten, Hähnchen und Ente gekocht, mit Kohl und grünem Blattgemüse kombiniert oder Suppen und Marinaden beigegeben. Die Koreaner haben mit *Kimchi* die ganze Welt bekehrt – einem in Salzlake eingelegten Chinakohl, der mit frischem Ingwer, Chili und Knoblauch gewürzt wird. In der indischen Küche trifft Ingwer ebenfalls oft auf Knoblauch, vor allem in Currys, Chutneys, Relishes und

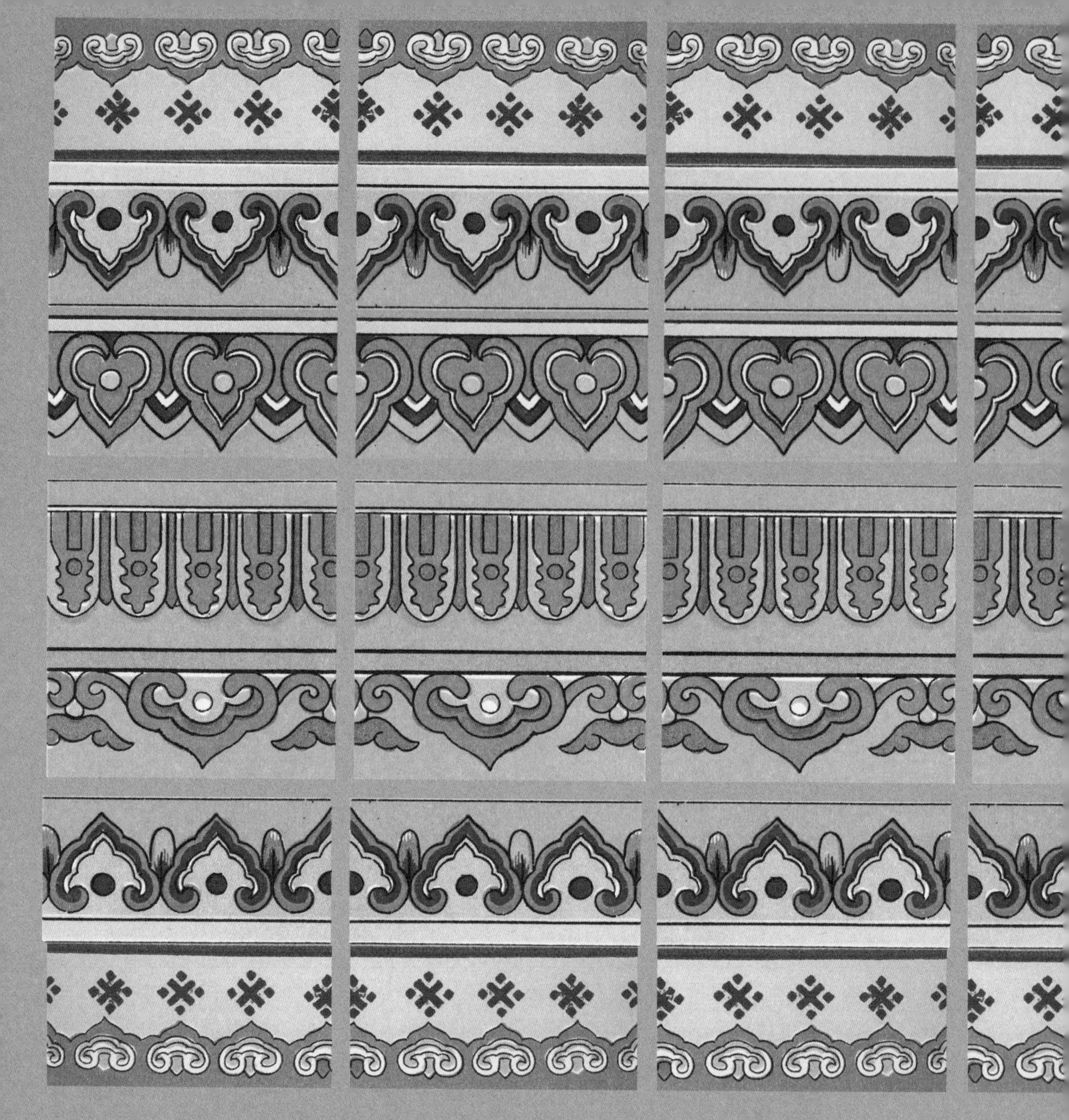

Marinaden. Für *Gari* (eine Beilage zu Sushi) werden Ingwerstückchen süß-sauer eingelegt und in hauchdünne Streifen geschnitten. Die roséfarbene Ingwerpflanze Myoga wird in Japan und Korea im Frühling gesammelt: Die jungen Triebe mit ihrer feinen Textur werden geschnitten und für Suppen, Salate bzw. Grillgerichte verwendet oder sauer eingelegt. Gemahlener Ingwer spielt in verschiedenen Gewürzmischungen eine zentrale Rolle, u.a. in Quatre Épices (Seite 206), Ras el-Hanout (Seite 207) und im chinesischen Fünf-Gewürze-Pulver (Seite 197). Pfefferkuchen – mal in Form von knusprigen Keksen, mal in Form eines saftigen Lebkuchens – ist wohl die bekannteste Verwendungsart von gemahlenem Ingwer als Backzutat.

Der englische Weihnachtsbrauch, Lebkuchenmännchen mit lachendem (oder einem anderen) Gesichtsausdruck zu backen, geht auf die Regentschaft von Queen

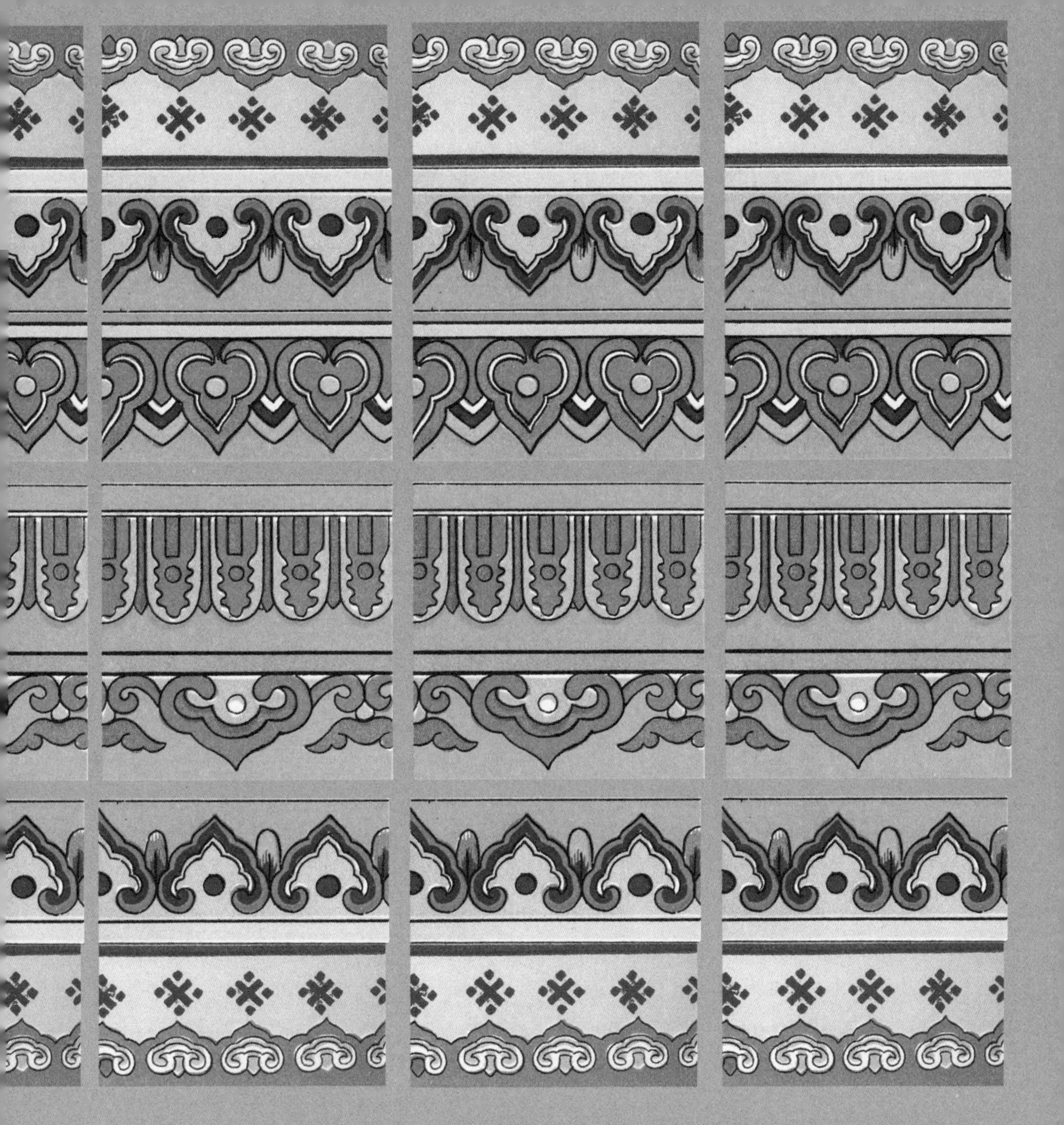

Elizabeth I. zurück, die die Backkunstwerke an Gäste verschenkte und je nach deren Vorlieben herstellen ließ. Lebkuchenhäuser sind ein deutscher Brauch, der bis Anfang des 19. Jahrhunderts zurückreicht.

Ingwerstückchen eignen sich bekanntlich bestens für Getränke: In Thailand werden die frischen, jungen Wurzeltriebe für *Khing sot* verwendet, ein Getränk mit feiner Ingwernote. *Switchel* (einst von amerikanischen Waldarbeitern und Pionieren der 1800er-Jahre getrunken) wird aus Ingwer, Apfelessig und Ahonsirup zubereitet; Ingwerbier – ein Gebräu aus Zucker, Wasser, Zitronensaft und »Ingwerbierpflanze« (Bakterien) – war eine Erfindung des viktorianischen Englands. *Domaine de Canton* ist ein französischer Ingwerlikör, ein *Moscow Mule* ist ein Cocktail aus Ingwerbier und Wodka.

Gewürzmischungen

Advieh

ADVIEH IST EINE Kombination aus Kurkuma, Zimt, Gewürznelken, getrockneten Rosenblättern und grünem Kardamom. Die in persischen und mesopotamischen Kulturen gängige Gewürzmischung – auch Adwiya genannt – ist ein mildwürzig-süßer Blend, eher sanft wärmend und duftend als scharf, obwohl er manchmal durch Beigabe von Loomi (Seite 74) beißend-säuerlich schmeckt. Die Mischung passt gut zu Pilaw-Reis, gebratenem Fleisch und Gemüse, kann Bohneneintöpfen und Reispudding untergerührt oder über Kürbisse gestreut werden, bevor man diese im Ofen bäckt. Ebenso kann sie zum Würzen von Omeletts verwendet werden. Es gibt dreierlei aromatische Versionen: Advieh-e Polo (siehe nachstehendes Rezept, über Reisgerichte gestreut); Advieh-e Khoresh, oft mit Beigabe von Loomi und Safran für Eintöpfe und zum Einreiben verschiedener Fleischsorten; Advieh-e Halegh, mit Muskatnuss und Ingwer für die Zubereitung von *Charoset,* einer süßen, dunklen Paste aus Früchten und Nüssen, die zum jüdischen Pessachfest gegessen wird.

2 TL getrocknete Rosenblätter
2 TL gemahlener Zimt
2 TL gemahlener grüner Kardamom
¼ TL gemahlene Gewürznelken
¼ TL gemahlene Kurkuma (optional)

Die Rosenblätter in einer Gewürzmühle zermahlen, dann mit den restlichen Gewürzen mischen. Bis zu 2 Monate in einem luftdichten Behälter aufbewahren.

Baharat

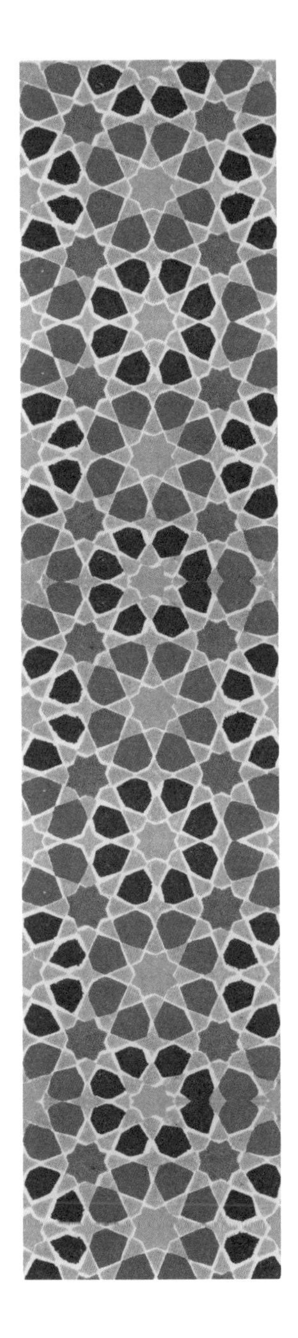

Der aromatisch-pfefferscharfe, orientalische Gewürzblend Baharat bedeutet auf Arabisch »Gewürze«; dazu gehören immer schwarzer Pfeffer, Kreuzkümmel, Ceylon-Zimt und Gewürznelken, manchmal aber auch Piment, Cassia-Zimt, Muskatnuss, Ingwer, Kardamom, Koriander und Kräuter wie Bohnenkraut und Minze. Von der Region Maschrek bis nach Ostägypten wird normalerweise mit Baharat gekocht und es ist in libanesischen, jordanischen, syrischen, israelischen und palästinensischen Gerichten zu finden. Warmes, süßes Baharat verleiht Suppen, Tomatensaucen, Linsen, Pilaw-Reis und Couscous ein anhaltendes Aroma. Auch ist Baharat ein hervorragender Rub für Fisch, Geflügel und anderes Fleisch und kann in Butter angebraten über *Dal* (indisches Linsencurry) gegossen werden. Im Libanon spricht man von der Sieben-Gewürze-Mischung, dort gehört auch Bockshornklee dazu. Türkisches Baharat enthält oft Minze, während die tunesische Version vom Duft getrockneter Rosenblätter durchzogen sein kann. Am Persischen Golf kommen manchmal Loomi (Seite 74) und Safran hinzu, um Baharat für das Reisgericht *Kabsa* zu machen.

1 TL schwarze Pfefferkörner
1 TL Koriandersamen
1 TL Kreuzkümmelsamen
1 TL Gewürznelken
Samen von 3 grünen Kardamomkapseln
1 TL getrocknete Minze
½ TL gemahlener Zimt
1 TL frisch geriebene Muskatnuss

Alle Körner und Samen sowie die getrocknete Minze in einer Gewürzmühle zu feinem Pulver mahlen. Zimt und Muskatnuss untermischen. Bis zu 2 Monate in einem luftdichten Behälter aufbewahren.

Berbere

Klassisches Berbere, eine Universal-Gewürzmischung in Äthiopien und Eritrea, ist ein körperreicher Blend aus Chilischoten, Knoblauch, Ingwer, Schwarzkümmel und Bockshornklee und bedeutet auf Amharisch »scharf«. Diese erdig-kraftvolle, feurige Mischung enthält auch Basilikum, Äthiopischen Kardamom, Weinraute und Ajowanfrüchte; außerdem können Muskatnuss, Stangenpfeffer und Piment hinzukommen. So entsteht ein grellroter, hocharomatischer und schmackhafter Rub für Fleisch, Geflügel und Fisch, der aber ebenso zum Würzen von Suppen, Gemüse und Getreide verwendet werden kann. In Äthiopien werden damit hauptsächlich *Wats* (Eintöpfe) gewürzt – insbesondere das Nationalgericht *Doro Wat* (scharfer Hühnereintopf mit hart gekochten Eiern und Berbere) und *Misr Wat*, ein Dal-ähnliches Linsengericht.

5 getrocknete rote Chilischoten
½ TL Bockshornkleesamen
¼ TL Pimentkörner
¼ TL Ajowanfrüchte
½ TL Stangenpfeffer (oder schwarze Pfefferkörner)
Samen von 3 grünen Kardamomkapseln
1 TL Koriandersamen
3 Gewürznelken
½ TL gemahlener Ingwer
½ TL frisch geriebene Muskatnuss
¼ TL gemahlener Zimt

Eine Bratpfanne mit dickem Boden bei mittlerer Hitze auf die Herdplatte stellen. Die Chilischoten und die Samen, Körner und Früchte einschließlich der Gewürznelken 2–4 Minuten unter gelegentlichem Rühren anrösten, bis sie duften und leicht dunkel werden. Abkühlen lassen, dann in einer Gewürzmühle zermahlen. Die bereits gemahlenen und geriebenen Zutaten unterrühren. Bis zu 2 Monate in einem luftdichten Behälter aufbewahren.

Chermoula

Diese pikante Paste bzw. Marinade basiert auf Knoblauch, Zitrone, frischem Koriander, süßem Paprikapulver und Kreuzkümmel, kann aber auch Anis, Schwarzkümmel, Safran, schwarzen Pfeffer und Petersilie enthalten. Ursprünglich stammt sie aus Marokko, Algerien und Tunesien und ist eine beliebte Marinade für Fisch und Meeresfrüchte; jedoch kann sie auch für Grillfleisch aller Art, festes Gemüse (wie etwa Auberginen, Okraschoten, Kürbis, Blumenkohl), Reisgerichte und Couscous verwendet werden.

2 TL Kreuzkümmelsamen
1 großes Bund frischer Koriander
3 Knoblauchzehen, fein gehackt
1 EL süßes Paprikapulver
¼ TL Safranfäden
Saft von ½ Zitrone
Olivenöl
Salz

Eine kleine Bratpfanne mit dickem Boden bei mittlerer Hitze auf die Herdplatte stellen. Die Kreuzkümmelsamen einige Minuten unter ständigem Rühren rösten, bis sich ihr Aroma entfaltet. In eine Küchenmaschine geben und die Korianderblätter und -stängel samt Knoblauch, Paprika, Safran und Zitronensaft hinzufügen. Das Ganze zu einer Paste schlagen, dann bei laufender Küchenmaschine ausreichend Öl hinzugießen, damit ein dickes Püree entsteht. Mit Salz abschmecken. Abdecken und im Kühlschrank bis zu 4 Tage aufbewahren.

Chesapeake-Bay-Würze

Ursprünglich basierte die Seafood-Gewürzmischung auf einem Blend, der unter der Marke »Old Bay« verkauft wurde. Dieser US-Klassiker mit Kräutern und Gewürzen der Region Chesapeake Bay kommt traditionellerweise in den Topf, wenn das für dort berühmte Seafood geschmort wird. Seine Zutaten sind Selleriesalz, gemahlene Lorbeerblätter, Senfpulver, gemahlener Ingwer, süßes Paprikapulver, schwarzer und weißer Pfeffer, Piment, scharfe rote Chiliflocken, Muskatnuss, Gewürznelken, Muskatblüte und Kardamom. Gemischt und vermarktet wurde der Blend erstmals anno 1939 von einem deutschen Einwanderer namens Gustav Brunn, der auf der Flucht vor den Nazis angeblich nur seine Gewürzmühle mitgenommen hatte. Brunn benannte die Gewürzmischung nach der Old Bay Line – einer Reederei für Passagierschiffe, die zwischen Baltimore, Maryland, und Norfolk, Virginia, verkehrten. Außerdem gründete er die Old Bay Company für Herstellung und Vertrieb. Das Würzpulver wurde in auffälligen gelben Behältern verkauft und für Krabben verwendet, von denen es rund um die Chesapeake Bay jede Menge gab. Die Chesapeake-Bay-Würze wird auch für Shrimps, Muschelsuppe, Austerneintopf, Popcorn, Salat, Eier, Brathähnchen, Mais, Chips und sogar für Bloody Marys verwendet.

6 EL Selleriesalz
2 TL süßes Paprikapulver
1 TL getrocknete rote Chiliflocken
1 TL Senfpulver
1 TL gemahlener schwarzer Pfeffer
1 TL gemahlener Piment
1 TL gemahlener Ingwer
1 TL gemahlene Lorbeerblätter
½ TL gemahlener weißer Pfeffer
½ TL frisch geriebene Muskatnuss
½ TL gemahlene Muskatblüte
½ TL gemahlener Kardamom

Alle Zutaten vermischen. Bis zu 1 Monat in einem luftdichten Behälter aufbewahren.

Chinesisches Fünf-Gewürze-Pulver

Die »Fünf« soll sich hier auf die fünf Elemente der chinesischen Medizin beziehen – Holz, Feuer, Metall, Wasser und Erde – und weniger auf die fünf Gewürze, die in der Mischung enthalten sind, nämlich Sternanis, Szechuanpfeffer, Gewürznelken, Cassia-Zimt und Fenchelsamen. Mit dem Würzpulver können vor dem Garen Hähnchen, Ente, Schweinefleisch und Meeresfrüchte mariniert werden. Besonders gerne wird es für Kanton-Ente und vietnamesisches Grillhähnchen verwendet. Es verstärkt das Aroma in Nudelgerichten und ist eine wichtige Würze für *Ngohiang*, eine Spezialität der einzigartigen indonesischen Hokkien- und Teochew-Küche, bei der verschiedene Fleischsorten und Gemüse in Tofuhaut eingewickelt werden.

4 Sternanis
2 TL Szechuanpfefferkörner
½ TL Gewürznelken
1 Stück Cassia-Zimtstange (4 cm)
2 TL Fenchelsamen

Eine kleine Bratpfanne mit dickem Boden bei mittlerer Hitze auf die Herdplatte stellen. Alle Gewürze hineingeben und unter gelegentlichem Rühren 2–4 Minuten rösten, bis sie ihr ganzes Aroma entfalten. Abkühlen lassen, dann in der Gewürzmühle zu feinem Pulver mahlen. Bis zu 2 Monate in einem luftdichten Behälter aufbewahren.

Currypulver

Von dem tamilischen Wort *kari* für »Sauce« bzw. »Reisgewürz« abgeleitet, ist Currypulver, obwohl es auf Elementen der südasiatischen Küche basiert, eigentlich eine westliche Erfindung. Von den Zutaten her kommt es möglicherweise *Sambar Podi* (Gewürzmischung aus der indischen Stadt Alappuzha, früher Alleppey) am nächsten. Currypulver enthält meist Kurkuma, Chilipulver, Koriander, Kreuzkümmel, Ingwer und Pfeffer; es können aber auch Fenchelsamen, Kümmelsamen, Gewürznelken, Muskatnuss und Asant hinzukommen. Mit dem zunehmenden Bewusstsein, wie regional unterschiedlich die indische Küche ist, wird der Gewürzblend oft als westlicher Versuch abgetan, die facettenreiche Küche eines ganzen Subkontinents auf ein einziges Pulver zu reduzieren. Kritik ist immer einfach, doch hat das Currypulver auf seine Art gute Arbeit geleistet und wird nach wie vor stark genutzt. Das erste englische Curry-Rezept erschien 1747 in *The Art of Cookery Made Plain and Easy* von Hannah Glasse unter der Überschrift »Wie man Curry nach indischer Art kocht«. Mrs Beeton stellte Rezepte für »Indisches Chicken Curry« und »Känguruschwänze mit Curry« vor, während Arthur Kenney-Herbert, ein Armeeoffizier, der als Vater des britischen Currys bekannt ist, sich selbst dafür rühmte, dass er in seinen *Culinary Jottings for Madras* (1878) die wahre Kunst des Curry-Kochens wieder zum Leben erweckte.

2 TL Kreuzkümmelsamen
2 EL Koriandersamen
1 TL Bockshornkleesamen
½ TL schwarze Pfefferkörner
½ TL Chilipulver
1 TL gemahlene Kurkuma
1 TL gemahlener Ingwer

Eine Bratpfanne mit dickem Boden bei mittlerer Hitze auf die Herdplatte stellen. Alle Samen und Körner unter gelegentlichem Rühren 2–4 Minuten rösten, bis sie ihr Aroma entfalten. Abkühlen lassen, dann in einer Gewürzmühle zu feinem Pulver mahlen. Das Chilipulver, die Kurkuma und den Ingwer untermengen. In einem luftdichten Behälter bis zu 2 Monate aufbewahren.

Dukkah

Der Name dieser ägyptischen Gewürzmischung aus Nüssen, Sesamsamen, Koriandersamen, Kreuzkümmel, Kümmelsamen, Fenchelsamen, Schwarzkümmel und Salz leitet sich von dem arabischen Wort für »zerstoßen« ab. 1968 publizierte Claudia Roden das erste Dukkah-Rezept außerhalb Ägyptens. In ihrem ursprünglichen Rezept verwendete sie Haselnüsse (das nachstehende Rezept orientiert sich daran); Dukkah-Variationen können Pistazien, Mandeln, Cashewkerne oder Pinienkerne enthalten.
Die Gewürzmischung kann über Salate, gebackene Eier, Fetakäse, *Labneh* (Frischkäse aus Joghurt) und *Baba Ghanoush* (Püree der arabischen Küche aus Auberginen und Sesampaste) gestreut werden. Ihre Vielfältigkeit reicht bis zu würzigen Fischpanaden, Seafood und Fleisch sowie Marinaden auf Joghurtbasis. Mit Nüssen, Sesam, Schokolade und Kümmelsamen kann auch eine süße Dukkah-Version zubereitet werden.

2 EL Haselnüsse mit Haut
4 EL Sesamsamen
1 EL Koriandersamen
1 TL Fenchelsamen
1 TL Schwarzkümmelsamen
1 TL Kreuzkümmelsamen
½ TL schwarze Pfefferkörner
½ TL Meersalz

Eine kleine Bratpfanne mit dickem Boden bei mittlerer Hitze auf die Herdplatte stellen. Die Haselnüsse hineingeben und etwa 5 Minuten rösten, bis sie gut angebräunt sind. Die Nüsse aus der Pfanne nehmen, gesammelt in ein Geschirrtuch einwickeln und die Haut abreiben. Alle Samen und die Pfefferkörner 2–3 Minuten unter häufigem Rühren in der Pfanne rösten, bis sich ihr Aroma entfaltet.
Die Nüsse grob mahlen und dabei darauf achten, dass sie nicht ölig werden. Die Samen samt Salz zu einer groben Mischung zermahlen, dann die Nüsse unterrühren. Bis zu 2 Monate in einem luftdichten Behälter aufbewahren.

Garam Masala

DER BEGRIFF LEITET sich von der Hindi-Bezeichnung für »scharfe Mischung« ab. Die Schärfe ist hier die ayurvedische »Körperwärme«: Diese Gewürzmischung des Mogulreichs erhöht die Körpertemperatur mit einer Kombination aus schwarzem und weißem Pfeffer, Gewürznelken, Cassia-Zimt (oder Ceylon-Zimt), Muskatnuss (oder Muskatblüte), schwarzem und grünem Kardamom, Lorbeerblatt und Kreuzkümmel. Sie wird in der Regel am Ende des Kochvorgangs in das Gericht gegeben, damit ihr Aroma erhalten bleibt. Sie kann Butterreis oder Gemüse-Pilaws untergerührt oder für Gerichte mit Lamm- und Hähnchenfleisch verwendet werden. Für *Chicken Tikka Masala* und *Murgh Makhani* (indisches Butterhähnchen) ist sie als Basiswürze unerlässlich. Auch passt Garam Masala gut zu Gemüse, insbesondere Wurzelgemüse und Blumenkohl. Jedoch muss die Gewürzmischung nicht auf die indische Küche beschränkt sein: Sie eignet sich genauso gut für japanische Gerichte wie etwa *Katsu Curry*; sie kann auch für Kekse, Brötchen, Salatdressings sowie Würzbutter zum Bestreichen von Maiskolben verwendet werden.

1 EL Kreuzkümmelsamen
5 grüne Kardamomkapseln
2 schwarze Kardamomkapseln
1 große Zimtstange
1 ½ TL Gewürznelken
2 Msp. Muskatblüte
¼ Muskatnuss
1 Lorbeerblatt
½ TL schwarze Pfefferkörner
½ TL weiße Pfefferkörner

Eine Bratpfanne mit dickem Boden bei mittlerer Hitze auf die Herdplatte stellen. Alle Gewürze unter gelegentlichem Rühren 2–3 Minuten rösten, bis sie ihr ganzes Aroma entfalten. Abkühlen lassen, dann in einer Gewürzmühle zu feinem Pulver mahlen. Durch ein Sieb streichen, um alle Hülsen zu entfernen. Dann bis zu 2 Monate in einem luftdichten Behälter aufbewahren.

Harissa

HARISSA, EINE PASTE auf Chilibasis aus Tunesien und Algerien, ist nach Orissa benannt, dem früheren Namen des indischen Bundesstaates Odisha. Sie besteht aus roten Paprika- und Chilischoten, die mit Koriandersamen, Kümmelsamen, Salz und Knoblauch zerstoßen und mit Olivenöl vermengt werden. Chilischoten wurden in Amerika entdeckt; von da aus traten sie ihre Überseefahrt nach Spanien an. Von dort gelangten sie ebenfalls über den Seeweg nach Marokko, Algerien und Tunesien, wo sie zum Grundpfeiler der nordafrikanischen Küche wurden, denn der Hitze dieser Wüstenregionen stand ein starker Wunsch gegenüber, ebenso feurig-scharfe Gerichte zu essen (das hilft, denn der von Chilis hervorgerufene Schweiß kühlt ab). Harissa wird in Tajines verwendet und ist ein beliebter Begleiter für Couscous, Kebabs, Hummus, Pitabrot, Hähnchen, Lamm und Paprikaschoten.

2 TL Kreuzkümmelsamen
2 TL Koriandersamen
2 TL Kümmelsamen
170 g mittelscharfe rote Chilischoten, ohne Samen und grob gehackt
1 rote Paprikaschote, geröstet, enthäutet und ohne Samen
3 Knoblauchzehen, fein gehackt
1 TL süßes Paprikapulver
1 TL Tomatenpüree (passierte Tomaten)
½ TL Salz
3–4 EL Olivenöl

Eine kleine Bratpfanne mit dickem Boden bei mittlerer Hitze auf die Herdplatte stellen. Die Kreuzkümmel-, Koriander- und Kümmelsamen unter gelegentlichem Rühren 2–3 Minuten rösten, bis sich das ganze Aroma entfaltet. Abkühlen lassen, dann in einer Gewürzmühle zu Pulver mahlen.
Die Chilischoten, die geröstete Paprikaschote und den Knoblauch in eine Küchenmaschine geben und zu einer groben Paste verarbeiten. Die gemahlenen Gewürze, das Paprikapulver, das Tomatenpüree und das Salz hinzufügen und weiter kräftig schlagen. Bei laufender Küchenmaschine das Olivenöl hinzugießen und alles zu einer glatten Paste verarbeiten. In eine Schüssel umfüllen, eine dünne Ölschicht darüber gießen, mit Frischhaltefolie abdecken und im Kühlschrank bis zu 1 Woche aufbewahren.

Hawaij

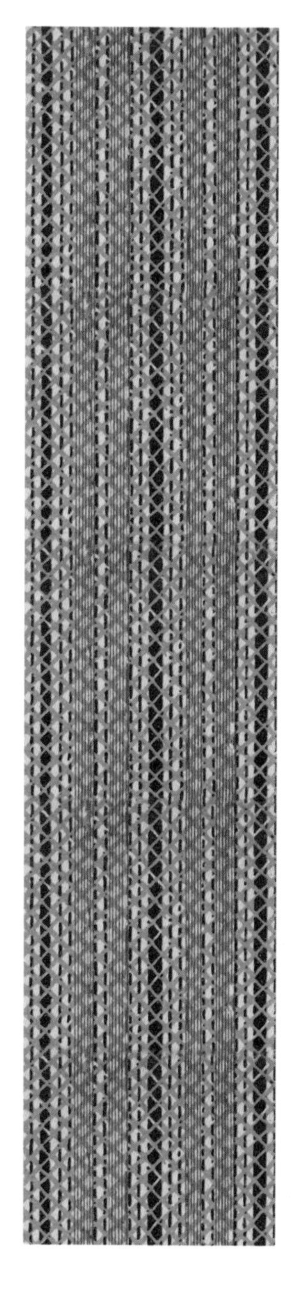

Eine wichtige Zutat in den Küchen Jemens und Israels. Diese curryähnliche Gewürzmischung ist eine Hommage an Kardamom und Kurkuma; dazu gehören auch schwarzer Pfeffer, Kreuzkümmel, Koriander und Gewürznelken. Die Mischung wird als BBQ-Rub für Fleisch aller Art, Fisch und Gemüse verwendet und über Suppen, Eintöpfe und Reis gestreut. In Verbindung mit Anis, Fenchelsamen, Ingwer und grünem Kardamom wird Hawaii-Curry hauptsächlich für Kaffee, Kuchen und Desserts verwendet, eignet sich aber auch gut für Schmorgerichte mit Fleisch.

2 EL schwarze Pfefferkörner
1 EL Kreuzkümmelsamen
1 EL Koriandersamen
2 TL grüne Kardamomkapseln
½ TL Gewürznelken
1 EL gemahlene Kurkuma

Eine kleine Bratpfanne mit dickem Boden bei mittlerer Hitze auf die Herdplatte stellen. Alle Gewürze bis auf die Kurkuma hineingeben und unter gelegentlichem Rühren 2–4 Minuten rösten, bis sie ihr volles Aroma entfalten. Abkühlen lassen, dann in einer Gewürzmühle zu feinem Pulver mahlen. Durch ein Sieb streichen, um alle Hülsen zu entfernen, dann die Kurkuma untermischen. Bis zu 2 Monate in einem luftdichten Behälter aufbewahren.

Jamaikanisches Jerk

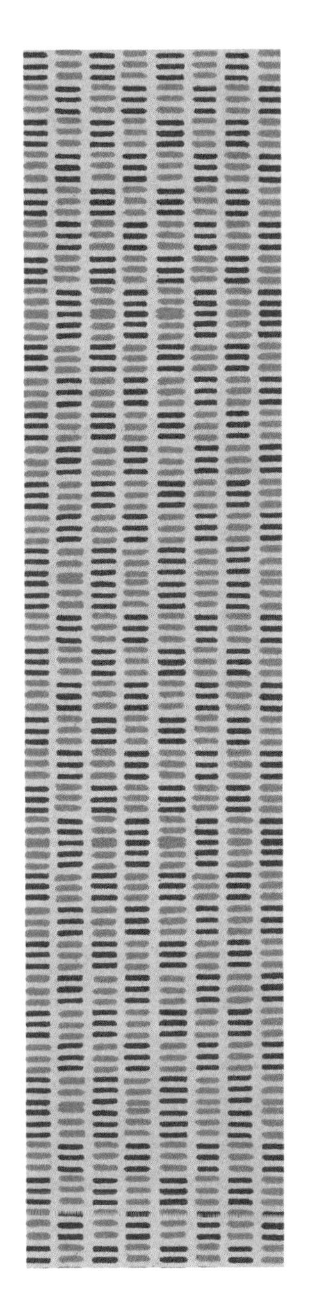

Die jamaikanische Jerk-Tradition begann mit den dort beheimateten Taíno (deren Vorfahren kamen aus Südamerika in die Karibik), die ihr Fleisch über duftendem Pimentbaumholz räucherten und dörrten. Der Begriff *jerk* kommt anscheinend von dem andischen Wort für Dörrfleisch, *ch'arki*. Pimentkörner ergeben zusammen mit harzigem Thymian und weichem Zimt eine aromatische Paste, die durch Chilischoten an Schärfe gewinnt und oft als BBQ-Rub für Hähnchen, Schwein und Ziege verwendet wird. Idealerweise würde man frische Scotch-Bonnet-Chilischoten in die Mischung geben – jene scharfen, in der Karibik heimischen Chilischoten, die von der Form her wie eine typische Schottenmütze aussehen –, jedoch verleihen getrocknete Chiliflocken und Cayennepfeffer ebenfalls genügend Schärfe.

1 EL schwarze Pfefferkörner
2 TL Pimentkörner
1 kleine Zimtstange
1 TL frisch geriebene Muskatnuss
1 TL getrockneter Thymian
½ TL Cayennepfeffer
½ TL getrocknete Chiliflocken
½ TL Salz

Eine kleine Bratpfanne mit dickem Boden bei mittlerer Hitze auf die Herdplatte stellen. Die schwarzen Pfefferkörner, die Pimentkörner und die Zimtstange unter gelegentlichem Rühren 2–4 Minuten rösten, bis sie ihr Aroma entfalten. Abkühlen lassen, dann zusammen mit den restlichen Zutaten in eine Gewürzmühle geben und so fein wie möglich mahlen. Bis zu 2 Monate in einem luftdichten Behälter aufbewahren.

Chmeli Suneli

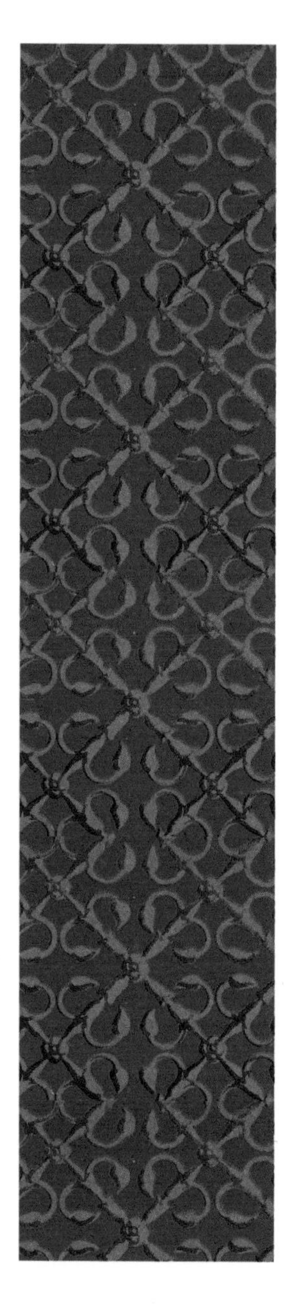

Die georgische Gewürzmischung Chmeli Suneli bedeutet wortgetreu »getrocknete Gewürze« und schmeckt warm, nussig und grasig. Sie besteht u.a. aus Schabzigerklee, Koriandersamen, Chilipulver, schwarzem Pfeffer und getrockneten Ringelblumen. In der Regel wird sie für Eintöpfe und als BBQ-Rub verwendet. Die georgische Gastfreundschaft ist legendär und geht mit Festen wie dem Supra einher, wo unzählige Gerichte mit jeder Menge Wein und Unterhaltung aufgeboten werden. Chmeli Suneli wird zum Würzen der georgischen *Kharcho* (Suppe mit Huhn, Lamm oder Rind) verwendet, außerdem für *Lobio* (Suppe mit dunkelroten Kidneybohnen, Zwetschgen und Tamarinde) und für die Walnusssauce *Satsivi*.

1 EL Koriandersamen
½ TL Gewürznelken
2 TL getrocknete Schabzigerkleeblätter
1 TL Schabzigerkleesamen
1 TL schwarze Pfefferkörner
¼ TL Chilipulver
2 TL getrocknete Minze
2 TL getrocknete Ringelblumen
2 TL getrocknetes Bohnenkraut
2 TL getrockneter Majoran

Den Koriander, die Gewürznelken, die Bockshornkleeblätter und -samen und die schwarzen Pfefferkörner zusammen zermahlen. Das Chilipulver und die getrockneten Kräuter untermischen. Bis zu 2 Monate in einem luftdichten Behälter aufbewahren.

Panch Phoron

Wortgetreu übersetzt heisst Panch Phoron »fünf Gewürze«. Die Mischung wird in Bangladesch, Südnepal und an der Ostküste Indiens (Golf von Bengalen) verwendet und enthält Bockshornklee, Schwarzkümmel, Kreuzkümmel, schwarzen Senf und Fenchelsamen. Manchmal kommen auch noch Selleriesamen hinzu. Dieser Mix besteht ungewöhnlicherweise nur aus ganzen Körnern, die in Öl oder Ghee gebraten werden – eine in Indien als *baghaar* bezeichnete Kochmethode, die dem chinesischen Duftbraten gleichkommt. Panch Phoron kann Suppen, Eintöpfen und Linsengerichten beigemischt werden. Auch eignet es sich zum sauren Einlegen von Gemüse. Man findet es u.a. in dem bengalischen Fisch-Curry *Macher jhol* sowie in Kartoffel- und Spinat-Currys. Panch Phoron ist sehr scharf – deshalb bitte sparsam damit umgehen!

1 EL Bockshornkleesamen
1 EL Schwarzkümmelsamen
1 EL Kreuzkümmelsamen
1 EL schwarze Senfkörner
1 EL Fenchelsamen

Alle Gewürze vermischen. Bis zu 4 Monate in einem luftdichten Behälter aufbewahren.

Quatre Épices

Als Universalgewürz der französischen und orientalischen Küche enthält Quatre Épices – französisch für »vier Gewürze« – gemahlenen Pfeffer, Muskatnuss, Ingwer und Gewürznelken. Der herkömmliche weiße Pfeffer kann auch durch schwarzen Pfeffer ersetzt werden. In einigen Variationen wird statt Pfeffer auch Piment bzw. statt Ingwer Zimt beigemischt. Die französische Küche verwendet das Viergewürz für Suppen, Aufläufe, geschmortes Rindfleisch und Hähnchen. Es wird auch in Feinkost (Fleischpasteten, Würste und Terrinen) sowie in Lebkuchen, Stollen und Keksgebäck eingearbeitet, denn Quatre Épices ist das klassische Lebkuchengewürz (auf Französisch *pain d'épices*).

4 TL frisch gemahlener weißer Pfeffer
1 ½ TL frisch geriebene Muskatnuss
1 TL gemahlener Ingwer
½ TL gemahlene Gewürznelken

Alle Gewürze vermischen. Bis zu 1 Monat in einem luftdichten Behälter aufbewahren.

Ras el-Hanout

Diese rötlich-braune Gewürzmischung mit würzig-blumiger Note stammt aus dem Gassenlabyrinth der Medinas von Marrakesch und Fès. Ras el-Hanout enthält so verschiedene Gewürze wie Zimt, Gewürznelken, Anis, Paradieskörner, schwarzen Pfeffer, Kurkuma und Safran, manchmal auch Muskatblüte, Kardamom und Cayennepfeffer. Das tunesische Ras el-Hanout ist dank getrockneter Rosenknospen oft noch weicher und blumiger; die marokkanische Version fällt eher etwas schärfer aus. Einige Anbieter mischen sogar Kantharidinpulver bei, ein aus einem Käfer (alias Spanische Fliege) gewonnenen Aphrodisiakum, das bei Überdosierung auch giftig sein kann. Ras el-Hanout wird in Fleisch und festen Fisch (z. B. Seeteufel) eingerieben und Couscous und Reis untergerührt. Außerdem dient es als scharfe Würze für den honiggesüßten marokkanischen Lammtopf *Mrouziya*, benannt nach Maurusia, wie die alten Griechen Nordwestafrika nannten. Allseits bekannt ist das Gewürz durch seine Verwendung in dem Kuchenklassiker *Pastilla* oder *Bastilla*, einem Riesengebäck aus hauchdünnem Yufka-Teig, mit Tauben- und Hähnchenfleisch, Mandeln und Zimt gefüllt und mit Puderzucker überstäubt.

6 grüne Kardamomkapseln
3 Gewürznelken
1 Msp. Muskatblüte
1 kleine Zimtstange
1 TL Fenchelsamen
1 TL Anissamen
1 TL Paradieskörner
1 TL schwarze Pfefferkörner
4 Pimentkörner
1 TL frisch geriebene Muskatnuss
1 TL gemahlener Ingwer
½ TL gemahlene Kurkuma
¼ TL Safranfäden
¼ TL Cayennepfeffer
½ TL getrocknete Rosenknospen
½ TL getrockneter Lavendel

Eine Bratpfanne mit dickem Boden bei mittlerer Hitze auf die Herdplatte stellen. Sämtliche ganzen Kapseln, Samen und Körner 2–4 Minuten unter gelegentlichem Rühren rösten, bis sie ihr volles Aroma entfalten. Abkühlen lassen, dann mit den restlichen Zutaten in eine Gewürzmühle geben und so fein wie möglich zermahlen. Durch ein Sieb streichen, um alle Schalen und Hülsen zu entfernen. Bis zu 2 Monate in einem luftdichten Behälter aufbewahren.

Recado Rojo

AUCH ALS ANNATTO-PASTE bekannt, enthält diese yukatekische Paste aus dem mexikanischen Bundesstaat Oaxaca Annatto, Kreuzkümmel, Koriandersamen, schwarzen Pfeffer, Piment, Gewürznelken, Oregano, Knoblauch sowie Orangen- und Limettensaft. Die tiefrote Färbung hat sie von den Annattosamen. Mit Recado Rojo können Fleisch und Fisch mariniert werden. Es dient auch als Würze für Füllungen von Empanadas und *Tamales* (Maisteig, mit Fleisch, Käse oder anderen Zutaten gefüllt und, in Pflanzenblätter eingehüllt, gedämpft).

2 TL Kreuzkümmelsamen
2 TL Koriandersamen
2 TL schwarze Pfefferkörner
1 TL Pimentkörner
½ TL Gewürznelken
4 TL getrockneter Oregano
4 Knoblauchzehen, mit 1 großen Prise Salz zu einer Paste zerrieben
3 EL Annattopulver
etwa 3 EL Orangensaft
etwa 3 EL Limettensaft

Alle Samen und Körner, die Gewürznelken und den Oregano in einer Gewürzmühle zermahlen, dann mit der Knoblauchpaste und dem Annattopulver vermischen. Genügend Orangen- und Limettensaft dazugießen, um eine Paste anzurühren.

Shichimi Togarashi

Angeblich Mitte des 17. Jahrhunderts in Japan als Erkältungsmittel erfunden, kam Shichimi Togarashi (Togarashi bedeutet auf Japanisch »rote Chilischoten«) nach der dortigen Einführung roter Chilischoten auf. Yagenbori Shichimi Togarashi, die Tokioter Apotheke, die die Erkältungsmedizin 1625 eingeführt haben soll, ist heute noch in Betrieb. Auch als japanisches Sieben-Gewürze-Pulver bekannt, ist das gewöhnliche Shichimi Togarashi eine scharfe, aromatische Gewürzmischung, zu der in der Regel Cayennepfeffer, Sansho- oder Szechuanpfeffer, getrocknete Mandarine, Nori, schwarze Sesamsamen, Knoblauchgranulat und weiße Mohnsamen gehören. Verwendet wird sie zum Würzen von Fisch und Meeresfrüchten, Soba- und Udon-Nudeln, Tempura, *Gyudon* (Reis mit Rindfleisch und Ei) und *Yakitori* (gegrillte Spieße). Der Mix kann auch Hanfsamen, Shisoblätter und Ingwer enthalten. Die Chilischärfe bildet einen starken Kontrast zum Umami-Geschmack von Algen und der intensiven Zitrusnote. Werden acht Zutaten verwendet, bekommt Togarashi den Zusatz *hachimi* (»acht Aromen«).

2 TL schwarze Sesamsamen
1 EL Sanshopfeffer oder Szechuanpfeffer
1 ½ TL Cayennepfeffer
2 TL getrocknete Mandarinen- oder Orangenzesten
1 TL Nori-Flocken
1 TL weiße Mohnsamen
1 TL Knoblauchgranulat

Alle Zutaten vermischen. Bis zu 2 Monate in einem luftdichten Behälter aufbewahren.

Spekulatiusgewürz

Diese süsse, aromatische Gewürzmischung wird für dekorative Kekse und Gebäck verwendet. Das Spekulatiusgewürz kommt aus Holland, wo es als *Speculaaskruiden* bekannt ist. Es orientiert sich an einem indischen Mix aus Gewürzen, die dank des holländisch-ostindischen Gewürzhandels im 15. Jahrhundert allgemein erhältlich waren: Zimt, Muskatnuss, Gewürznelken, Ingwer, Kardamom, Anis und weißer Pfeffer. Um den Namen ranken sich verschiedene Theorien – so etwa soll er sich von *speculum* (lateinisch für »Spiegel«) ableiten, zumal die Kekse die spiegelverkehrte Version der hölzernen Backform sind. Er könnte auch auf den lateinischen *speculator* verweisen (wörtlich bedeutet der Begriff »Aufseher«, er steht aber auch für »Bischof« – damit wäre der Bezug zum heiligen Nikolaus, dem Bischof von Myra, hergestellt, denn traditionell wurden die Spekulatiuskekse am Nikolaustag gebacken). Das holländische Wort für Gewürz – *specerij* – könnte ein Hinweis darauf sein, dass der Name einen ganz profanen Ursprung hat.

2 EL gemahlener Zimt
2 TL frisch geriebene Muskatnuss
2 TL gemahlene Gewürznelken
2 TL gemahlener Ingwer
1 TL gemahlener weißer Pfeffer
1 TL gemahlener Anis
½ TL gemahlener Kardamom

Alle Gewürze vermischen. Bis zu 6 Wochen in einem luftdichten Behälter aufbewahren.

Zatar

Zatar bezeichnet eine Gewürzmischung aus Thymian, Oregano oder Majoran, Sesamsamen, Gewürzsumach und Salz. Sie dient dem Würzen von Fleisch und Gemüse und wird zum Garnieren über Hummus oder auch über Salate gestreut. In der jordanischen, palästinensischen und israelischen Küche wird sie oft mit *Labneh* (Frischkäse aus Joghurt) vermengt und zum Frühstück mit Fladenbrot und Olivenöl gegessen. Mit Honig vermischt, wird Zatar auch zum Marinieren von Fleisch verwendet – von Lamm bis zu Wachteln.

2 EL Sesamsamen
1 EL gemahlener Gewürzsumach
2 TL getrockneter Thymian
1 TL getrockneter Oregano oder Majoran
½ TL Salz

Eine Bratpfanne mit dickem Boden bei mittlerer Hitze auf die Herdplatte stellen. Die Sesamsamen hineingeben und etwa 2 Minuten leicht goldbraun rösten. Etwas abkühlen lassen, dann zusammen mit allen übrigen Zutaten in eine Gewürzmühle geben und pulsierend mahlen, sodass einige der Samen aufplatzen. Bis zu 3 Monate in einem luftdichten Behälter aufbewahren.

Klassische Gewürze

Gewürze für Obst

Ananas – *Piment, Gewürznelken, Ingwer*

Äpfel – *Australische Buschtomate, Alligatorpfeffer, Piment, Kümmelsamen, Kardamom, Zimt, Gewürznelken, Ingwer, Paradieskörner, Muskatnuss*

Aprikosen – *Sesamsamen, Tonkabohne*

Bananen – *Anis, Gewürznelken, Zimt, Kardamom, Süßholz*

Birnen – *Anis, schwarzer Pfeffer, Kardamom, Zimt, Stangenpfeffer, rosa Pfeffer, Safran, Sternanis*

Datteln – *Kardamom, Zimt, Kubebenpfeffer, Ingwer, Kurkuma*

Erdbeeren, Blaubeeren, Brombeeren, Himbeeren – *Alligatorpfeffer, schwarzer Pfeffer, Johannisbrot, Paradieskörner, Sternanis, Tonkabohne, Vanille*

Feigen – *Piment, Vanille*

Mangos – *Alligatorpfeffer, Paradieskörner, Ingwer, Kaffernlimette, Tonkabohne*

Orangen – *Annatto, Anis, Kakaokernbruch, Kardamom, Gewürznelken*

Pfirsiche – *Anis, Gewürznelken, Zitronenmyrte, Muskatnuss*

Pflaumen – *Zimt, Gewürznelken, Koriandersamen, Ingwer, Wacholder, Stangenpfeffer, Muskatnuss, rosa Pfeffer, Sternanis*

Preiselbeeren – *Gewürznelken, Ingwer*

Rhabarber – *Anis, Ingwer, Tonkabohne*

Zwetschgen – *Cassia-Zimt, Ceylon-Zimt, Gewürznelken, Ingwer, Indisches Lorbeerblatt, Sternanis*

Gewürze für Gemüse

Aubergine – *Piment, Mango, Indisches Curryblatt, Sesamsamen, Gewürzsumach*

Beten – *Piment, Granatapfelkerne, Gewürznelken, Dillsamen, Ingwer, Sternanis*

Blumenkohl – *Koriandersamen, Gewürznelken, Ingwer, Muskatnuss, Kurkuma, gelbe Senfkörner*

Brokkoli – *Cayennepfeffer, Dillsamen, Ingwer, Muskatnuss, Sesamsamen, Kurkuma*

Erbsen – *braune Senfkörner, Kardamom, Charoli, Kreuzkümmel, Ingwer, Kurkuma*

Fenchel – *Kümmelsamen, Fenchelsamen, Galgant*

Kartoffeln – *Kümmelsamen, Cayennepfeffer, Selleriesamen, Senfkörner, Muskatnuss, Kurkuma*

Kohl – *schwarze Senfkörner, Kümmelsamen, Selleriesamen, Kreuzkümmel, Indisches Curryblatt, Ingwer, Wacholder, Kurkuma*

Kürbis – *Piment, Kardamom, Zimt, Gewürznelken, Ingwer, Papayakerne*

Möhren – *Piment, Anis, Kümmelsamen, Kardamom, Cayennepfeffer, Zimt, Gewürznelken, Kreuzkümmel, Ingwer, Sternanis*

Pilze – *Piment, Koriandersamen, Ingwer, Stangenpfeffer, Kaffernlimette, Muskatnuss*

Rüben – *Piment*

Spargel – *Cayennepfeffer, Kreuzkümmel, Paprika, Sesamsamen*

Spinat – *schwarze Senfkörner, Kreuzkümmel, Muskatnuss, Safran, Kurkuma*

Süßkartoffeln – *Piment, Kardamom, Zimt, Gewürznelken, Ingwer, Muskatblüte, Muskatnuss, Kurkuma, Akaziensamen*

Tomaten – *Alligatorpfeffer, Cayennepfeffer, Gewürznelken, Kubebenpfeffer, Kreuzkümmel, Fenchelsamen, schwarzer Pfeffer, Safran, Estragon*

Zwiebeln – *Kümmelsamen, Senfkörner*

Gewürze nach Landesküche

Cajunisch-kreolisch – *Cayennepfeffer, Paprika*

Französisch – *Senfkörner, Muskatnuss, Tonkabohne, Vanille*

Indisch – *Kalmus, Kardamom, Cayennepfeffer, Charoli, Zimt, Koriandersamen, Kreuzkümmel, Galgant, Ingwer, Indisches Lorbeerblatt, Muskatnuss, Paprika, Kurkuma, Zitwer*

Karibisch – *Annatto, Piment, Zimt, Gewürznelken, Ingwer, Muskatblüte, Muskatnuss*

Mediterran – *Kapern, Kardamom, Johannisbrot, Zimt, Gewürznelken, Koriandersamen, Ingwer*

Mexikanisch – *Koriandersamen, Kreuzkümmel, Zimt, Paprika*

Nordafrikanisch – *Alligatorpfeffer, Ajowan, Kardamom, Zimt, Kreuzkümmel, Bockshornklee, Ingwer, Paradieskörner, Paprika, Kurkuma*

Orientalisch – *Kardamom, Zimt, Gewürznelken, Koriandersamen, Kreuzkümmel, Ingwer, Chiliflocken aus Urfa*

Osteuropäisch – *Piment, Kümmelsamen, Dillsamen, Muskatnuss, Paprika, Vanille*

Südamerikanisch – *Annatto, Cayennepfeffer, Papayakerne*

Thai – *Kardamom, Kreuzkümmel, Ingwer, Kaffernlimette, Tamarinde, Kurkuma*

Gewürze nach Art der Pflanzenteile

Blätter – *Kalmus, Indisches Curryblatt, Indisches Lorbeerblatt, Zitronenmyrte*

Blüten – *Gewürznelken, Safran*

Früchte – *Mango, Granatapfelkerne, Loomi, Kokum, Kaffernlimette, Gewürzsumach, Tamarinde*

Harze – *Asant, Mastix*

Rinde – *Cassia-Zimt, Ceylon-Zimt*

Samen – *Annatto, Granatapfelkerne, Kardamom, Kümmelsamen, Selleriesamen, Charoli, Dillsamen, Fenchelsamen, Senfkörner, Schwarzkümmel, Papayakerne, Mohnsamen, Sesamsamen, Akaziensamen*

Schoten – *Mango, Kardamom, Johannisbrot, Sternanis, Vanille*

Wurzeln – *Kalmus, Galgant, Ingwer, Süßholz, Kurkuma*

Gewürze nach Geschmack

Beißend – *Piment, Asant, Gewürznelken, Kubebenpfeffer, Ingwer, Paradieskörner, Tasmanischer Pfeffer, Senfkörner, rosa Pfeffer, Szechuanpfeffer, Sanshopfeffer*

Bitter – *Ajowan, Kreuzkümmel, Bockshornklee, Ingwer, Mastix, Safran, Kurkuma*

Erdig – *Annatto, schwarzer Kardamom, Kümmelsamen, Kreuzkümmel, Indisches Curryblatt, grüner Kardamom, Muskatblüte, Muskatnuss, Safran, Kurkuma, Zitwer*

Nussig – *Sesamsamen, Mahlab, Schwarzkümmel, Mohnsamen*

Wärmend – *Alligatorpfeffer, schwarzer Kardamom, Cayennepfeffer, Kreuzkümmel, Galgant, Süßholz, Paprika, Chiliflocken aus Urfa*

Gewürze für das Wohlbefinden

bei Allergien – *Ajowan, Galgant, Kurkuma*

bei Angst – *Muskatnuss, Safran*

bei Erkältungsbeschwerden – *Wacholder*

bei Gedächtnisschwund – *Indisches Curryblatt, Muskatnuss, Safran*

bei Menstruationsbeschwerden – *Selleriesamen, Fenchelsamen, Wacholder, Safran*

bei Mundgeruch – *Anis, Kümmelsamen, Kardamom*

bei sonstigen Schmerzen – *Ajowan, Wacholder, Kurkuma*

bei Verdauungsproblemen – *Ajowan, Anis, Kümmelsamen, Kardamom, Ingwer, Wacholder, Kokum*

bei Verstopfung – *Anis, Kümmelsamen, Kardamom, Tamarinde*

Gewürze für die Vorratskammer

Für Kaffee – *Kardamom, Zimt, Gewürznelken, Ingwer, Muskatnuss, Sternanis*

Für Liköre und Glühwein – *Kardamom, Koriandersamen, Zimt, Gewürznelken, Wacholder, Muskatnuss, Vanille, Sternanis*

Für Nüsse – *Cayennepfeffer, Zimt, Gewürznelken, Kreuzkümmel, Muskatnuss*

Für Reis – *Ajowan, Mango, Cassia-Zimt, Cayennepfeffer, Kreuzkümmel, Indisches Curryblatt*

Für Schokolade – *Anis, schwarzer Kardamom, grüner Kardamom, Cayennepfeffer, Kakaokernbruch, Gewürznelken, Koriandersamen, Ingwer, Muskatblüte, Muskatnuss, Paprika, Sternanis, Vanille, Loomi, Bockshornklee, Galgant, Äthiopischer Kardamom, Kokum, Indisches Lorbeerblatt, Zitronenmyrte, Stangenpfeffer, Mastix, Tasmanischer Pfeffer, Mohnsamen, Safran, Sesamsamen, Gewürzsumach, Tamarinde, Akaziensamen*

Zum Aromatisieren – *Kardamom, Gewürznelken, Zimt, Ingwer, Muskatnuss, Safran, Szechuanpfeffer, Tonkabohne, Vanille*

Zum Backen – *Kümmelsamen, Kardamom, Cassia-Zimt, Koriandersamen, Ceylon-Zimt, Ingwer, Wacholder, Senfkörner, Muskatnuss, Vanille*

Zum Einlegen – *Piment, Cayennepfeffer, Koriandersamen, Gewürznelken, Zimt, Kreuzkümmel, Ingwer, Senfkörner, Muskatnuss*

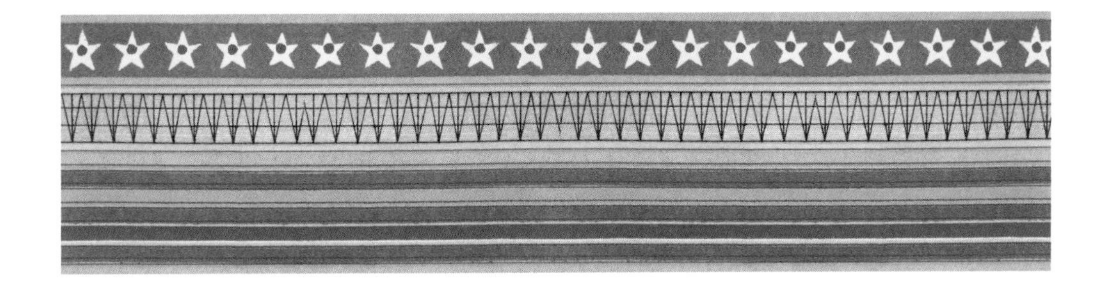

Gewürze als Ersatz

statt Fenchelsamen – *Anis*

statt Galgant – *Ingwer (halbe Menge)*

statt Kardamom – *gemahlener Zimt und Gewürznelken im Verhältnis 1:1*

statt Kokum – *1 TL Tamarindenpaste pro Kokumscheibe*

statt Kurkuma – *1 TL gemahlene gelbe Senfkörner und 1 Prise Safran*

statt Muskatnuss – *gemahlener Piment oder Gewürznelken (halbe Menge)*

statt Piment – *Muskatnuss sowie Gewürznelken und Zimt, im Verhältnis 1:2*

statt Sellerie – *1 TL Selleriesamen für 50 Gramm gewürfelten Knollensellerie*

statt Sternanis – *Anis*

statt Zimt – *Piment*

Gewürze zubereiten

Zerdrücken	*Galgant, Ingwer, Zitwer* Vor dem Zerdrücken Stielansätze mit einem schweren Messerrücken abtrennen.
Frischwurzeln reiben	*Galgant, Ingwer, Kurkuma* Vor dem Reiben grob schälen.
Reiben trockener Gewürze	*Ingwer, Muskatnuss, Tonkabohne, Kurkuma, Zitwer* Für Muskatnuss oder Tonkabohne eine spezielle Muskatnussreibe, eine Microplane-Zestenreibe oder eine normale Reibe mit der dünnsten Raspelgröße verwenden.

Gewürze erhitzen

In der Pfanne rösten	*Alligatorpfeffer, Asant, Kümmelsamen, Koriandersamen, Kardamom, Selleriesamen, Kreuzkümmel, Indisches Curryblatt, Fenchelsamen, Senfkörner, Szechuanpfeffer, Sanshopfeffer, Sesamsamen* Samen und Körner, die leicht aufplatzen und aus der Pfanne springen, bei geschlossenem Deckel und mittlerer Hitze anrösten. Die Gewürze etwas im Rauch ziehen lassen. Vor dem Zermahlen abkühlen lassen.
Im Backofen rösten	*Asant, Kümmelsamen, Kardamom, Koriandersamen, Kreuzkümmel, Senfkörner, Sanshopfeffer, Szechuanpfeffer, Akaziensamen* Im Backofen bei 160 °C rösten, bis die Gewürze bräunlich werden.
In der Pfanne anbraten	*Asant, Kümmelsamen, Kardamom, Selleriesamen, Koriandersamen, Kreuzkümmel, Indisches Curryblatt, Fenchelsamen, Senfkörner, Sanshopfeffer, Szechuanpfeffer* Eine kleine Menge Öl in einer schweren Bratpfanne bis kurz vor dem Rauchpunkt erhitzen. Die Gewürze darin rösten (ohne dass sie anbrennen).

Gewürze mahlen

Mahlen	*Piment, schwarzer Kardamom, Schabzigerklee, grüner Kardamom, Zimt, Gewürznelken* Im Mörser, mit einer Kaffeemühle oder einer elektrischen Gewürzmühle zu feinem Pulver mahlen.
Zerquetschen	*Australische Buschtomate, Asant, Kardamom, Selimskörner, Wacholder* Die Gewürze in einen Beutel geben und mit einem Nudelholz zerquetschen.

Gewürze lagern

Weniger als 3 Monate	*Frische Ingwer-, Kurkuma- und Zitwerwurzeln, Mohnsamen, Gewürzsumach*
Weniger als 8 Monate	*Mango, Kümmelsamen, Cayennepfeffer, Kreuzkümmel, Wacholder, Paprika, Färberdistel*
1–2 Jahre	*Anis, Cassia-Zimt, Ceylon-Zimt, Koriandersamen, Kubebenpfeffer, Fenchelsamen, Schwarzkümmel, Pfeffer, Sternanis, Vanille, Akaziensamen*
Über 2 Jahre	*Gewürznelken, Paradieskörner, Muskatnuss, Safran sowie getrockneter Ingwer, Kurkuma und Zitwer*

Register nach gängigen Namen

Über die Autorin

Caz Hildebrand ist Creative Partner bei Here Design, London. Sie gestaltete Kochbuch-Bestseller von Nigella Lawson, Yotam Ottolenghi und Samantha und Samuel Clark *(Casa Moro)* und wurde bereits mehrfach ausgezeichnet. 2010 schuf Caz Hildebrand das Pastadesignbuch *The Geometry of Pasta* mit Jacob Kenedy, dem Küchenchef von Bocca di Lupo, welches die Geheimnisse der authentisch-italienischen Lebensart offenbart. Sie ist auch die Autorin und Designerin des Kräuterbuchs *Herbarium*, das 2016 bei Thames & Hudson erschien.

Bibliografie

Bharat Aggarwal: *Heilende Gewürze: 50 alltägliche und exotische Gewürze für die Gesundheit und gegen Krankheiten,* Narayana 2014

Owen Jones: *Grammatik der Ornamente,* GLB Parkland Verlagsgesellschaft 2002

Elizabeth Lemoine: *Heilpflanzen: Natürlich vorbeugen, helfen, lindern,* Neuer Honos 2002

Harold McGee: *On Food and Cooking: Das Standardwerk der Küchenwissenschaft,* Matthaes Verlag 2013

Jill Norman: *Das große Buch der Gewürze,* AT Verlag 2004

Jill Norman: *Kräuter & Gewürze: Herkunft, Geschmack, Verwendung,* Dorling Kindersley 2016

Claudia Roden: *Die orientalische Küche,* Christian Verlag 2010

Claudia Roden: *Die Küche des Vorderen Orients,* Heyne Verlag 1997

Elizabeth David: *Spices, Salt and Aromatics in the English Kitchen,* Penguin 1970

Alan Davidson: *The Penguin Companion to Food,* Penguin 2002

Tim Ecott: Vanilla: *Travels in Search of the Ice Cream Orchid,* Grove/Atlantic 2004

Fabienne Gambrelle: *Spices,* Thames & Hudson 2008

John Gerard: *The Herball or Generall Historie of Plantes,* London 1636

Patience Gray: *Honey from a Weed,* Prospect Books 2009

Aliza Green: *The Magic of Spice Blends: A Guide to the Art, Science, and Lore of Combining Flavors,* Quarry Books 2016

Carolyn Heal und Michael Allsop: *Cooking with Spices,* Panther 1983

John Keay: *The Spice Route: A History,* John Murray 2005

Christine Manfield: *Spice,* Viking 1999

Gary Paul Nabhan: *Cumin, Camels, and Caravans: A Spice Odyssey,* University of California Press 2014

John O'Connell: *The Book of Spice,* Profile Books 2015

Jack Turner: Spice: *The History of a Temptation,* Harper Perennial 2011

Danksagung

MEIN DANK GEBÜHRT vielen Mitwirkenden an der Herstellung dieses Buches, wobei ein jeder auf seine Art dazu beigetragen hat.

Selbstverständlich verdankt dieses Buch alles Owen Jones und seiner wunderbaren *Grammatik der Ornamente*, ohne die unser Gewürzbuch keinen Daseinsgrund hätte. Es soll eine Art Hommage an ihn und sein Werk sein und eine Anerkennung seiner Bemühungen, die dekorativen Künste dieser Welt zu katalogisieren.

Mein Dank gilt auch dem Team von Thames & Hudson – Lucas Dietrich, Flora Speigel, Andrew Stanley, Avni Patel, Johanna Neurath, Kate Thomas und Rosie Keane – für das Verständnis unserer Vision und die Unterstützung, um dieses Buch mit Sorgfalt und Aufmerksamkeit ins Leben zu rufen; ein Dankeschön geht auch an Jane Middleton für ihre fachkundige Beratung, ihr außergewöhnliches kulinarisches Wissen, ihr redaktionelles Durchsetzungsvermögen und einige köstliche Gewürzmischungen.

Gedankt sei außerdem allen in unserem Grafikstudio Here Design für die Unterstützung und Mitwirkung an diesem Buch, insbesondere aber Tom Key für seine Geduld und Liebe zum Detail.

Danke an Kara Johnson, die wie immer sichergestellt hat, dass alles zur rechten Zeit und termingerecht ausgeführt wurde – mit Ruhe und Effizienz und einer sanften, aber starken Hand.

Last but not least sei Philip Cowell gedankt für seine perfekte Prosa, die angesichts der komplexen Welt der Gewürze genau die richtige Balance schafft.

WARNHINWEIS

Will man Gewürze oder Zutaten für Gewürzmischungen, die in diesem Buch vorgestellt werden, selbst ernten, ist eine genaue Kenntnis der Pflanzen unerlässlich. Beim geringsten Zweifel wird von der Verwendung eines Gewürzes abgeraten. Handbücher zur Ermittlung genießbarer Pflanzen können nützlich sein, jedoch zieht man besser zusätzlich einen Experten zu Rate. Es liegt in der Verantwortung des Verwenders, sich über landesübliche Verhaltensregeln und die entsprechende Gesetzgebung zu informieren.

Wir empfehlen, Gewürze stets von seriösen Anbietern zu beziehen und sich darüber im Klaren zu sein, dass einige Gewürze in übergroßen Mengen eine giftige Wirkung haben können.

Die in diesem Buch enthaltenen Informationen sind keine Anleitung zur Selbstmedikation und ersetzen keinesfalls die Konsultation eines Arztes. Vor Einnahme pflanzlicher Präparate oder Verwendung von Gewürzen zu medizinischen Zwecken lasse man sich hausärztlich oder von einem anderen Gesundheitsexperten beraten. Weder die Autorin noch der Herausgeber haften für Gesundheitsprobleme, die aus den in dieser Publikation enthaltenen Informationen entstehen könnten.

Titel der Originalausgabe: *The Grammar of Spice*

Erschienen bei Thames & Hudson Ltd, 181a High Holborn, London WC1V 7QX, 2017

Buchgestaltung: Here Design

Deutsche Erstausgabe

Ein Unternehmen der La Martinière Groupe

Projektleitung: Susanne Caesar, Knesebeck Verlag

Umschlagadaption: Leonore Höfer, Knesebeck Verlag

Satz: Arnold & Domnick, Leipzig

Lektorat: Monika Judä, München

Herstellung: Arnold & Domnick, Leipzig

Druck: Imago

Printed in China

ISBN 978-3-95728-214-9

www.knesebeck-verlag.de